TITANIC

TOME 3 ☆ SOS

TITANIC

TOME 3

SOS

GORDON KORMAN

Texte français de Marie-Josée Brière

Éditions
SCHOLASTIC

Catalogage avant publication de Bibliothèque et Archives Canada

Korman, Gordon

[S.O.S. Français]

SOS / Gordon Korman ;
texte français de Marie-Josée Brière.

(Titanic ; 3)
Traduction de: S.O.S.
Pour les 9-12 ans.

ISBN 978-1-4431-1620-6

1. Titanic (Navire à vapeur)--Romans, nouvelles, etc. pour la
jeunesse. I. Brière, Marie-Josée II. Titre. III. Titre: SOS
Français. IV. Collection: Korman, Gordon. Titanic. Français ; 3.

PS8571.O78S214 2012   jC813'.54   C2011-905752-2

Édition publiée par les Éditions Scholastic,
604, rue King Ouest, Toronto (Ontario) M5V 1E1.

5 4 3 2 1   Imprimé au Canada 121   12 13 14 15 16

POUR LEO

PROLOGUE

RMS *CALIFORNIAN*
Lundi 15 avril 1912, 0 h 15

Le petit cargo était immobile dans les eaux noires de l'Atlantique Nord, lisses comme un miroir.

Ce n'était pas le calme plat qui avait forcé le *Californian* à s'arrêter, mais plutôt les vastes étendues de glace environnantes. Le capitaine Lord avait préféré faire halte en attendant que la lumière du jour éclaire les obstacles qui entouraient son navire.

Le *Californian* avait transmis des avis de glace toute la journée. Il n'était donc pas étonnant que l'opérateur Marconi, Cyril Evans, soit allé se coucher de bonne heure.

Evans avait été remplacé par le troisième officier Groves. À minuit quinze, fatigué de n'entendre que le silence dans son casque d'écoute, Groves s'était retiré à son tour pour la nuit.

Si son thé avait été un peu plus chaud et s'il avait dû le boire un peu plus lentement, le troisième officier aurait peut-être eu le temps de se rappeler que le poste de télégraphe du *Californian* devait être remonté manuellement.

Il aurait suffi de quelques tours de manivelle pour qu'il entende le message : « CQD MGY ».

« CQD » voulait dire « Venez vite, nous sommes en détresse », tandis que les lettres « MGY » correspondaient à l'indicatif d'appel du RMS *Titanic*, le plus beau, le plus grand, le plus célèbre navire océanique au monde.

Le *Titanic* avait lui aussi interrompu sa progression, à une quinzaine de kilomètres de là.

Il était en train de sombrer.

CHAPITRE UN

RMS *TITANIC*
Lundi 15 avril 1912, 0 h 15

Dès qu'il mit le pied sur le pont des embarcations, le capitaine E. J. Smith s'en rendit compte immédiatement : la proue penchait vers le bas. La chose aurait été imperceptible pour n'importe qui d'autre. Mais, pour un marin aussi expérimenté que le commodore de la White Star Line, c'était tout à fait évident... et beaucoup trop réel. La pente du pont était même un peu déstabilisante. Le capitaine Smith avait pourtant toujours eu le pied marin – mais il est vrai qu'il n'avait jamais dû envoyer d'appel de détresse... jusqu'à ce soir, du moins.

Il prit tout de même quelques secondes pour admirer son navire, le plus magnifique de tous les temps. Le plus grand, le plus moderne, le plus luxueux et – se dit-il avec un léger tressaillement des lèvres – le plus sécuritaire.

La traversée en cours devait être sa dernière. C'était maintenant une chose assurée...

Mais ce n'était pas le moment de s'apitoyer sur son sort. Il y avait des décisions à prendre. Et, en tant que capitaine, c'était à lui de les prendre.

De retour sur la passerelle, il interrogea Thomas Andrews, le concepteur du *Titanic*.

– Monsieur Andrews, combien de canots de sauvetage avons-nous? demanda-t-il.

– Vingt, monsieur, y compris quatre Engelhardt repliables, répondit l'architecte naval, impassible. Assez pour 1 178 passagers.

Le capitaine hocha la tête, atterré. Il y avait à bord 2 223 passagers et membres d'équipage.

Alfie Huggins, l'aide steward, était trempé jusqu'aux os, à force de patauger dans l'eau de mer glacée. Pourtant, il n'avait jamais transpiré autant. Suivi de Sophie Bronson et de Juliana Glamm, il fuyait vers l'arrière, pressé de s'éloigner de la proue du majestueux navire qui coulait. Le jeune homme et les deux passagères à sa charge couraient sur le pont D. Arrêtés par une cloison qui leur bloquait le passage, ils gravirent un escalier jusqu'au pont C et reprirent leur course dans l'espace ouvert du pont du coffre, en zigzaguant pour éviter les fragments de glace éparpillés, dont certains étaient aussi gros qu'une malle de voyage.

Sophie glissa sur un morceau de glace et faillit tomber. Alfie la rattrapa sans même s'arrêter et envoya le glaçon rejoindre les autres qui encombraient le pont.

– Difficile de croire qu'un aussi petit objet ait pu endommager un aussi grand navire! souffla Sophie.

Toute cette glace s'était détachée d'un énorme iceberg – maintenant derrière eux – qui avait ouvert une brèche de près de 100 mètres dans le ventre du *Titanic*.

– Il est endommagé, bien sûr, mais il est insubmersible, haleta Juliana. N'est-ce pas?

Alfie repensa à son père, qui avait de l'eau jusqu'à la taille dans la salle des chaudières numéro 5. Et qui lui avait dit, mot pour mot : « On va bientôt savoir si c'est vrai. »

Les trois amis pénétrèrent dans l'imposante superstructure du navire et s'élancèrent dans un couloir de première classe. Plusieurs stewards étaient déjà là, en train de frapper aux portes et d'aider les passagers désemparés à enfiler d'encombrants gilets de sauvetage. Les plaintes et les commentaires mécontents fusaient de toutes parts.

– Mais on est au beau milieu de la nuit!

– Quelle est la cause de toute cette perturbation?

– Pourquoi faut-il enfiler des gilets de sauvetage? Dieu lui-même ne réussirait pas à faire couler ce navire!

– C'est une simple précaution, répondit doucement un des stewards qui travaillait avec Alfie. Le capitaine a donné l'ordre de faire monter tout le monde sur le pont des embarcations. Alors, habillez-vous chaudement, s'il vous plaît. La nuit est très froide.

– Raison de plus pour rester dans ma cabine, déclara

une vieille dame.

Les passagers de première classe, à bord du *Titanic*, faisaient partie des riches et des privilégiés. Ils n'avaient pas l'habitude de se faire bousculer et de se faire donner des ordres par de simples serviteurs.

Les stewards se montraient patients et parfaitement polis. Mais il n'était pas question que quiconque leur résiste.

Alfie et les deux jeunes filles sortirent en courant du couloir et se dirigèrent vers le majestueux escalier principal. Le deuxième officier Charles Herbert Lightoller descendait rapidement les marches couvertes d'une luxueuse moquette.

– Huggins, fit l'officier Lightoller, pourquoi n'êtes-vous pas en train de vous occuper de vos passagers?

– Mlle Sophie et Mlle Juliana sont mes passagères, tenta d'expliquer Alfie.

– Et pourquoi êtes-vous mouillés, tous les trois? demanda l'officier en les regardant plus attentivement.

– La proue prend l'eau, monsieur! expliqua Alfie, le souffle court. Ils actionnent les pompes dans la salle des chaudières numéro 5, et la numéro 6 est complètement inondée!

– Et vous avez amené ces deux jeunes filles avec vous, commenta l'officier avec un léger sourire. Quelle galanterie! Conduisez-les sur le pont des embarcations – et donnez-leur des gilets de sauvetage, s'il vous plaît. Ensuite, vous irez vous occuper de vos autres passagers.

– Monsieur Lightoller... Est-ce que c'est vraiment très sérieux? demanda timidement Juliana.

– Regardez l'état de votre jolie robe, rétorqua l'officier, l'air grave, et vous aurez votre réponse. Maintenant, dépêchez-vous.

Alfie s'élança dans l'escalier.

– Suivez-moi!

– Non, je ne vais pas sur le pont des embarcations, répliqua Sophie. Du moins, pas tout de suite. Je dois trouver ma mère.

– Et moi, mon père, renchérit Juliana. Et je sais exactement où il doit se trouver.

Dans le salon de première classe, il n'était pas question d'icebergs ou de gilets de sauvetage. En fait, il ne régnait là aucun sentiment d'urgence. Les hommes discutaient et jouaient aux cartes. Les garçons servaient à boire. Un nuage de fumée montait des pipes et des cigares dans la pièce lambrissée d'acajou. Si les occupants du salon avaient entendu parler du chaos qui régnait ailleurs sur le navire, ils n'en laissaient rien paraître.

Juliana trouva son père à l'endroit exact où il avait passé les neuf dixièmes du voyage : à la grande table placée au centre du salon, plongé dans une partie de poker dont les enjeux étaient très élevés.

– Papa, lui annonça-t-elle doucement, nous devons

monter tout de suite sur le pont des embarcations.

Rodney, comte de Glamford, concentré sur ses cartes, répondit à voix basse, sans même lever les yeux vers elle :

— Pourquoi diable est-ce que je ferais ça?

— Parce que le capitaine en a donné l'ordre, insista Juliana. Tous les passagers doivent enfiler un gilet de sauvetage...

— Un gilet de sauvetage?

Elle avait toute l'attention de son père maintenant. Il lui jeta un bref regard et eut un petit rire.

— Ma chère Julie, il y a quelqu'un qui te fait marcher. À quoi pourraient bien servir des gilets de sauvetage à bord du *Titanic*?

— On a frappé un iceberg...

— Tout le monde sait ça. On a senti le choc. Simsbury a renversé son verre sur la table, et on a dû envoyer chercher un nouveau paquet de cartes.

— Papa, le navire est en train de se remplir d'eau!

— Balivernes! Le *Titanic* est insubmersible.

Sa voix devint un murmure :

— Et puis, je suis en train de gagner! Je crois bien que la chance va enfin tourner en ma faveur.

CHAPITRE DEUX

RMS *TITANIC*
LUNDI 15 AVRIL 1912, 0 H 20

— Non, fit Mme Willingham, intraitable. Je ne partirai pas sans mon Muffin.

Muffin était un vilain petit Poméranien nerveux, accroché solidement à la jambe du pantalon d'Alfie.

— Ce sont les ordres du capitaine, insista Alfie en secouant sa jambe dans l'espoir de se débarrasser de Muffin. Tous les passagers doivent monter sur le pont des embarcations.

— Muffin est un passager, protesta vivement la dame.

— Très bien, madame, concéda Alfie, mais gardez-le dans la poche de votre manteau. Nous n'avons pas de gilets de sauvetage pour les animaux. Et, s'il vous plaît, enlevez-le de là. J'ai d'autres cabines à visiter.

Mme Willingham attira son chien avec un bonbon, et Alfie s'éloigna à la hâte dans le couloir du pont A.

Une femme l'intercepta devant la cabine A-22.

— Qu'est-ce qui se passe? On abandonne le navire?

— Oh, je ne pense pas! fit Alfie, en avalant sa salive.

C'est une simple précaution.

– Dans ce cas, je ne réveillerai pas les enfants, décida la femme. Ils sont tellement de mauvaise humeur quand on les empêche de dormir!

Alfie était déchiré. Les stewards avaient reçu l'ordre d'éviter la panique. Mais comment pouvait-il accepter qu'on laisse des enfants dormir alors qu'il savait, lui, que la proue était en train de se remplir d'eau?

– Je vous en prie, réveillez-les, répondit-il enfin. Ce sera sûrement toute une aventure. Vous ne voudriez pas leur faire rater ça.

Il ne pouvait pas faire mieux. Il se hâta vers la cabine suivante.

– Alfie, te voilà! Le ciel soit loué!

Jules Tryhorn, un autre steward, était debout dans une cabine de première classe, engagé dans une lutte homérique pour faire entrer le major Mountjoy dans un gilet de sauvetage. À cause de la panse rebondie du major, le gilet ne pouvait tout simplement pas se fermer à l'arrière.

– Grands dieux! s'exclama le major Mountjoy, ses impressionnantes rouflaquettes tressautant sur ses joues. Il semble bien que je me sois légèrement arrondi! C'est sûrement à cause de la merveilleuse cuisine qu'on nous sert sur ce magnifique navire. Que pouvons-nous faire?

Alfie examina la situation.

– Si tu tires par l'arrière, dit-il à Tryhorn, et que je

pousse par l'avant...

– Eh bien, dites donc!

La voix du major grimpa subitement d'une octave quand les deux stewards, tirant et poussant de toutes leurs forces, réussirent enfin à faire entrer son ventre volumineux dans le gilet de sauvetage. Il y eut un « clic », et le gilet fut fermé, pour le meilleur ou pour le pire.

– Bien joué, les garçons! s'écria le major, le souffle un peu plus court que d'habitude.

Il se dirigea vers la porte de sa cabine en se dandinant comme un manchot.

– La prochaine fois, je vous promets que je serai mince comme un balai et que je ne vous causerai pas tant de problèmes.

Alfie eut un frisson. « La prochaine fois »...

Il poursuivit son chemin dans le couloir et se retrouva devant la cabine A-17. La simple vue de la plaque de laiton portant ce numéro lui donna la chair de poule.

Moins d'une heure auparavant, M. Masterson, le passager de la cabine A-17, avait tenté de le tuer, lui et Mlle Sophie aussi. Pourtant, ces tentatives de meurtres étaient loin d'être les pires horreurs commises par ce M. Masterson. Depuis le début de la traversée, Alfie avait découvert des preuves qui montraient sans l'ombre d'un doute que cet homme, aujourd'hui infirme, était le tueur en série connu sous le nom de Jack l'Éventreur. L'auteur des meurtres de Whitechapel, qui eurent lieu en 1888, s'était embarqué à bord du *Titanic* pour aller consulter un médecin new-yorkais dans l'espoir que celui-ci lui rende l'usage de ses jambes.

Je ne frapperai pas à cette porte, se dit Alfie. *Je refuse de faire quoi que ce soit pour sauver la vie de cette bête immonde, et le laisser libre de recommencer à tuer et à semer la terreur.*

C'était la première fois qu'il admettait, même dans son for intérieur, qu'il y aurait peut-être des gens à sauver cette nuit à bord du *Titanic*. Si le capitaine avait ordonné que les passagers montent sur le pont des embarcations, ce n'était pas simplement pour leur faire respirer l'air salin.

Mais comme il s'apprêtait à passer outre, la porte de la cabine A-17 s'ouvrit très légèrement, et un œil inquiet apparut dans l'entrebâillement.

— Qu'est-ce que c'est que ce branle-bas de combat, jeune homme?

— Oh, rien d'inquiétant! répondit Alfie sans se démonter. Faites de beaux rêves.

— Es-tu tombé sur la tête ou quoi? intervint Jules Tryhorn, qui arrivait derrière Alfie. Le capitaine a ordonné que tout le monde mette un gilet de sauvetage! On doit tous se rassembler sur le pont des embarcations!

— Quoi? gronda Masterson. À cause d'un simple iceberg?

— Le navire est endommagé, expliqua Tryhorn. Mais personne ne sait quelle est la gravité de la situation.

— J'ai besoin d'aide pour enfiler mon gilet, annonça

Masterson en tendant la main vers sa béquille.

– Ne comptez pas sur moi! répliqua sèchement Alfie en se dirigeant vers la cabine suivante.

Tryhorn le suivit.

– Qu'est-ce qui te prend, Alfie? Je reconnais qu'il est plutôt désagréable, mais tu ne peux pas abandonner un pauvre infirme dans une situation d'urgence!

Ce n'était pas le moment de se lancer dans une description détaillée de l'album de découpures qui prouvait l'identité du monstre.

– Garde ta sympathie pour ceux qui la méritent! jeta Alfie avant d'aller frapper à la porte de la cabine A-16.

La première chose que vit Paddy Burns en débouchant sur le pont des embarcations, ce fut un canot de sauvetage qui se balançait sur son bossoir, prêt à servir.

Alors, c'est vrai, pensa le jeune Irlandais, embarqué clandestinement sur le *Titanic. J'avais raison, après tout.*

L'insubmersible *Titanic* était en train de couler, comme son pauvre ami Daniel l'avait imaginé quand ils habitaient tous deux à Belfast... il y avait une éternité de cela. Et maintenant, certaines des personnes les plus riches du monde étaient rassemblées ici, à regarder les manœuvres des marins qui mettaient les canots en place.

Paddy parcourut la foule d'un œil exercé. Quel festin pour un pickpocket comme lui! Tous ces millionnaires européens et américains réunis en un seul endroit, énervés et distraits... Il aurait de quoi prendre sa retraite avec ce qu'il y avait à récolter ici... si seulement le navire n'était pas en train de couler! Bientôt, ils auraient tous des problèmes bien plus pressants qu'une broche ou une bourse volée – autant John Jacob Astor, dont la fortune s'élevait à 150 millions de dollars américains, que Paddy qui n'avait pas un sou vaillant.

– Paddy! Par ici!

Paddy se fraya un chemin dans la foule pour aller rejoindre Sophie et sa mère, la célèbre suffragette Amelia Bronson.

– Tu t'en es tiré, Dieu merci! s'écria Sophie. Je pensais bien que je ne te reverrais jamais! Comment ça se passe sur le pont E?

– Il n'y a plus de pont E, répondit Paddy, l'air sombre. Du moins, pas à la proue. Il y a de l'eau jusqu'au plafond.

Sous les yeux attentifs de Mme Bronson, le canot numéro 6 vint s'appuyer contre la balustrade.

– Tu restes avec nous, Paddy. Je vais m'assurer que personne ne te refuse une place dans un canot de sauvetage simplement parce que tu es un passager clandestin.

Paddy, mal à l'aise, jeta un coup d'œil autour de lui.

– Je me suis caché dans un de ces canots, et je les ai comptés. À moins qu'un magicien en fasse sortir d'autres de son chapeau, il n'y aura pas assez de place pour tout le monde.

– C'est impossible! répliqua Sophie, choquée. La White Star Line n'aurait jamais joué à la roulette russe avec la vie de ses passagers! Regarde tous ces gens. Penses-tu que c'est le genre de personnes à qui on pourrait refuser une place dans un canot de sauvetage?

Paddy regarda plus attentivement. Elle avait tout à fait raison. Tous ces gens étaient des célébrités connues dans le monde entier : Astor, Guggenheim, Rothes, Straus. Il y avait là des magnats des affaires et des aristocrates fortunés; bref, des gens qui s'attendaient à être traités comme des rois.

Mais, constata brusquement Paddy, les riches passagers de première classe n'étaient pas les seuls à voyager à bord du *Titanic*. Il y avait plus de 700 personnes en troisième classe – des Irlandais, des Scandinaves, des Italiens et une foule d'autres, originaires de dizaines d'autres pays, embarqués vers l'Amérique dans l'espoir d'y trouver une vie meilleure. Des gens honnêtes et travailleurs – des gens bons comme le pain. Et ces gens avaient droit à la vie tout autant que le colonel John Jacob Astor.

Pourtant, il n'y en avait pas un seul sur le pont supérieur, où se trouvaient les canots de sauvetage du *Titanic*.

CHAPITRE TROIS

Encore lui!

L'opérateur Marconi, Harold Cottam, leva les yeux vers l'entrée du local du télégraphe et aperçut le jeune garçon – empressé, comme toujours, et difficile à congédier, même après minuit. Surtout après minuit, en fait, quand tout était tranquille et que Cottam ne pouvait pas vraiment prétendre qu'il était trop occupé.

Drazen Curcovic, 14 ans, le fils d'un diplomate croate, entra dans le petit bureau en jetant un regard d'adoration à Cottam.

– Je me suis dit que c'était peut-être un bon moment...

– Il est un peu tard, non? fit remarquer Cottam, plein d'espoir.

Drazen parut tellement déçu que le télégraphiste n'eut pas le cœur de refuser. Dès le premier jour de la traversée du *Carpathia*, le jeune garçon avait fait irruption dans le local et lui avait déclaré :

– Parmi tous les marins qui sont à bord, c'est vous que

j'admire le plus!

Et c'était sans doute vrai puisque ses marques d'admiration, depuis ce jour-là, avaient été carrément embarrassantes. Drazen était tellement enthousiasmé par la nouvelle technologie qu'il adulait tous ceux qui y étaient associés. Peu lui importait qu'un opérateur Marconi touche un salaire de moins de cinq livres par traversée. Le fils du diplomate était déterminé à apprendre tous les secrets de la télégraphie sans fil.

– Très bien, mon garçon, soupira Cottam. Tu peux prendre les écouteurs quelques minutes. Mais tu n'entendras pas grand-chose en ce moment, un lundi aux petites heures du matin.

Drazen, aux anges, passa les écouteurs et prit la place de Cottam au pupitre. Son visage affichait une expression de ravissement total, même s'il n'entendait que du bruit blanc et, à l'occasion, un grésillement d'électricité statique.

Cottam se versa de l'eau pour se faire du thé et se mit à feuilleter un journal de New York, vieux de quelques jours déjà. Une exclamation étouffée de Drazen lui fit lever la tête. Le garçon était debout, blanc comme un drap.

– Je... Je pense que vous devriez écouter ça, monsieur Cottam!

– Mais non, mais non, le sermonna Cottam. Quand tu as les écouteurs sur les oreilles, tu es le seul et unique responsable des messages qui arrivent pendant ton quart de veille.

– Dans ce cas, répondit Drazen, réveillez le capitaine.

– Es-tu tombé sur la tête? s'écria Cottam avec un rire bref. Pourquoi est-ce que je ferais ça?

– C'est un CQD! annonça Drazen d'une voie tendue, tout en s'efforçant de déchiffrer le message transmis dans le code Morse que Cottam lui avait enseigné. « Frappé un iceberg, proue en train de couler... » Et l'indicatif d'appel est le MGY!

– MGY? répéta Cottam. Mais c'est...

Il se précipita vers un petit cahier dont il se mit à feuilleter les pages à la hâte.

– Seigneur Dieu! C'est le *Titanic*!

À mi-hauteur de l'escalier de service qui descendait du pont D, Paddy perdit pied sur une des marches de métal, rendues glissantes par l'eau qui coulait à flots. Il dévala le reste de l'escalier à toute vitesse, le postérieur rebondissant douloureusement sur chaque marche, et atterrit sur le pont E dans une grande éclaboussure d'eau glacée. Il se releva aussitôt et se dirigea en pataugeant dans l'eau vers l'arrière, dans le large couloir que l'équipage avait surnommé Scotland Road.

Il eut l'impression d'avoir marché longtemps quand ses pieds foulèrent enfin un sol sec. Il était aussi essoufflé que s'il avait monté une côte – ce qu'il avait fait, en un sens.

Plus le *Titanic* piquait du nez, plus la pente vers l'arrière s'accentuait.

Le couloir de Scotland Road, habituellement très fréquenté, était maintenant désert. Depuis le début de la crise, tous les membres de l'équipage avaient eu le temps de rejoindre leur poste. La situation était toutefois très différente au pied de l'escalier menant à la troisième classe. C'était la pagaille totale. Tous les passagers de l'entrepont étaient rassemblés là, et la clameur de leurs conversations agitées, dans une dizaine de langues différentes, se répercutait sur les cloisons nues.

Les stewards distribuaient des gilets de sauvetage, mais beaucoup d'émigrants ne comprenaient pas l'anglais et refusaient qu'on les aide à les enfiler. Les uns tiraient, les autres poussaient, et la scène tournait à la bousculade générale.

– Madame Rankin!

Paddy tenta de se frayer un chemin dans le chaos, à la recherche de la famille qui l'avait aidé à se cacher des autorités de la White Star Line.

Une main surgit soudain de la foule et le happa au passage. Un instant plus tard, il était dans les bras de Mme Rankin.

– Paddy! J'ai pris un gilet pour toi! Je savais que tu reviendrais!

– Qu'est-ce qui se passe ici? lui demanda Paddy. Pourquoi n'êtes-vous pas montés sur le pont des embarcations comme les autres passagers?

– Ils sont venus chercher un petit groupe de femmes il y a quelques minutes, mais c'est tout, répondit la dame. Pourquoi, Paddy? Es-tu au courant de quelque chose? Qu'est-ce qui se passe?

– Ils ont sorti les canots de sauvetage, voilà ce qui se passe! s'écria Paddy, inquiet. Je parie qu'ils sont déjà en train de les remplir! Comment osent-ils laisser des gens ici?

– Tu le sais bien, voyons! lança Mme Rankin, désespérée. On est des étrangers. Les Anglais se fichent pas mal de nous!

– Ça, c'est sûr! s'écria Curran. Pourquoi est-ce qu'on nous garde ici? Pourquoi est-ce qu'on ne peut pas monter sur le pont des embarcations?

À 17 ans, Curran était le plus vieux des quatre fils Rankin.

– C'est pour votre sécurité, intervint M. Steptoe, le plus haut gradé des stewards de troisième classe.

– Comment ça pourrait nous aider de rester sur les ponts inférieurs pendant que le navire est en train de couler? cria un passager.

– Oh! Alors, vous êtes plus malin que le capitaine lui-même? aboya Steptoe. D'abord, monter jusqu'au pont des embarcations, ça n'est pas aussi simple que vous semblez le croire. Pensez-vous que cet escalier mène tout droit à la première classe? Eh bien, non! Si je vous laisse partir seuls, vous allez vous perdre. Et alors, ça vous avancera à quoi?

— Je sais comment monter jusqu'au pont des embarcations, intervint Paddy.

— C'est toi, le passager clandestin! s'écria Steptoe, qui l'avait soudain reconnu.

— Et alors, qu'est-ce que vous allez faire? répliqua Paddy d'un air de défi. Me mettre au cachot? Il est sous l'eau, vous ne le saviez pas?

Et en se tournant vers la foule, il continua :

— Et vous allez tous vous retrouver sous l'eau si vous ne sortez pas d'ici! Allez, qui vient avec moi?

Un murmure d'indécision parcourut la foule nerveuse. Pourquoi ces gens accorderaient-il leur confiance à un jeune Irlandais déguenillé, et mouillé jusqu'aux os en plus?

Mme Rankin brisa le silence.

— Moi et mes garçons, on te suit, Paddy!

Puis elle se tourna vers les autres passagers et ajouta :

— Ce n'est pas à moi de vous dire quoi faire. Mais vous devriez peut-être réfléchir un peu à la façon dont les Anglais nous ont traités depuis des siècles.

Les jeunes Rankin suivirent Paddy et leur mère jusqu'à l'escalier qui montait. Quelques autres personnes se joignirent à eux, timidement, sous l'œil désapprobateur des stewards.

Steptoe se précipita pour leur barrer la route.

— Je ne le permettrai pas!

Les deux fils Rankin les plus vieux le soulevèrent, chacun par un coude, et le déposèrent parmi les passagers.

Plusieurs autres stewards s'avancèrent, mais la foule hostile les empêcha d'atteindre l'escalier.

– Il y a un ordre naturel à respecter pour ce genre de chose! gronda Steptoe. Pourquoi protégez-vous ces resquilleurs? Ce sont *vos* places qu'ils sont en train de prendre, et ils sèment la pagaille à un moment où il nous faut de la discipline! Quand ce sera votre tour, on vous appellera!

Paddy fit une pause sur le palier, montrant le chemin au groupe qui s'était joint à lui. Une trentaine de personnes, dont les Rankin, l'accompagnaient. Les autres – et ils étaient des centaines – s'agitaient sur le pont E, l'air inquiet, mal à l'aise. Malgré toutes les leçons que les épreuves de la vie leur avaient sûrement apprises, ils avaient choisi de se comporter en moutons. Ils obéissaient aux instructions de ces hommes en bel uniforme, plutôt que d'écouter ce que leur bon sens devait pourtant leur dicter.

– C'est par où, Paddy? demanda Aidan Rankin, un peu plus haut.

Paddy se hâta pour prendre la tête du groupe, qui avança dans l'escalier et atteignit bientôt le pont du coffre, à l'arrière du navire. Tous les yeux se portèrent immédiatement vers le pont des embarcations, trois étages plus haut. Les canots de sauvetage se balançaient dans les airs, ceinturant la superstructure comme les perles d'un chapelet. Même à cette distance, on pouvait voir des dames de première classe monter dans les canots, bien emmitouflées pour se protéger du froid mordant.

– Est-ce qu'on est vraiment en train de couler? demanda d'une voix inquiète une jeune femme qui portait un bébé.

– Oh, oui, croyez-moi! fit Paddy, l'air grave. Pensez-vous que l'équipage aurait dérangé tous ces gens riches, autrement?

Mme Rankin regarda autour d'elle, inquiète.

– C'est bien les Anglais, ça! Ils construisent un instrument de mort, et c'est *nous* qui devons en subir les conséquences!

– Maman a raison, approuva fiévreusement Curran. Ces canots-là pourraient aussi bien être au paradis du Bon Dieu, pour ce qu'on va pouvoir en faire, d'ici.

– Suivez-moi! ordonna Paddy.

Reprenant la tête du groupe, il se mit à gravir un escalier escarpé qui montait du pont du coffre. De là, derrière un haut ventilateur en cornet, une échelle de service menait tout droit à la superstructure du *Titanic*.

Un par un, les compagnons du jeune passager clandestin grimpèrent au haut de l'échelle. La jeune mère tendit son bébé à Aidan pendant que Paddy et Curran l'aidaient à franchir la balustrade. Ils étaient maintenant sur le pont A, un seul étage plus bas que les canots de sauvetage qui se balançaient sur leurs supports.

Le chaos qui régnait sur le pont des embarcations était maintenant parfaitement audible. On entendait les conversations inquiètes des passagers, ponctuées par les instructions pressantes de l'équipage.

— Je ne vous permettrai pas de me faire monter de force dans cette embarcation où je risque d'attraper mon coup de mort! déclara au-dessus d'eux une voix de femme pleine d'autorité.

Plusieurs personnes approuvèrent en chœur.

— Écoutez-moi ça! fit Mme Rankin d'une voix étouffée. Ce n'est pas tout le monde qui obéit docilement aux ordres du premier venu en uniforme!

Paddy hocha la tête.

— Tous ces riches de première classe savent se défendre, c'est certain. Même si c'est pour avoir le privilège de se noyer.

CHAPITRE QUATRE

RMS *TITANIC*
Lundi 15 avril 1912, 0 h 30

Paddy tâta la poignée de la porte-fenêtre qui menait au Café Véranda.

Elle était verrouillée.

Il enleva une de ses bottes cloutées et la brandit comme un marteau pour fracasser une vitre de la porte. Il passa ensuite le bras à l'intérieur et souleva le loquet. La porte s'ouvrit toute grande, et les passagers qui l'avaient suivi depuis l'entrepont pénétrèrent dans la salle. Oubliant temporairement l'urgence du moment, ils jetèrent des regards admiratifs sur l'élégance feutrée et le luxe du café, avec ses murs couverts de vigne et ses étalages impeccables de cristal, d'argent et de porcelaine.

— C'est à ça que doit ressembler le paradis, murmura la jeune mère en faisant un signe de croix.

— Mais le paradis n'est pas en train de couler, lui rappela Paddy. Dépêchez-vous!

Un serveur en habit sortit de l'ombre.

— Vous n'avez pas le droit d'être ici! On est en première

classe!

Il aperçut soudain la vitre brisée et les éclats de verre qui jonchaient le sol.

— C'est la propriété de la compagnie!

— Vous êtes stupide, ou quoi? Il y a bien plus que votre belle porte de brisé!

— Vous allez devoir payer pour ça! insista le serveur.

— Dites à la White Star Line de m'envoyer la facture, fit Paddy avec un rire sans joie.

Les nouveaux venus traversèrent le Café Véranda et entrèrent dans le fumoir lambrissé de chêne sombre. À leur grand étonnement, ils y trouvèrent plusieurs hommes âgés, un gilet de sauvetage par-dessus leur habit de soirée, en train de fumer bien tranquillement leur pipe ou leur cigare.

— Ils ne sont pas au courant? chuchota Mme Rankin.

— Les riches ne sont pas comme nous, répondit Paddy en haussant les épaules.

Ils parcoururent l'une après l'autre plusieurs pièces somptueuses, dans un silence admiratif. Paddy était habitué à la splendeur de la première classe, mais ses compagnons n'avaient jamais rien vu de tel. Ils étaient bien loin des quartiers spartiates qu'ils occupaient à bord du navire, sans parler des logis qu'ils avaient laissés derrière eux : de minuscules cabanes au sol de terre battue, enfumées par des feux de tourbe.

Ils émergèrent finalement derrière la troisième cheminée et furent aussitôt plongés dans un chaos total.

Ils étaient entourés d'une masse grouillante – les gens les plus riches et les plus célèbres du monde étaient entassés là, dans des accoutrements plus étranges les uns que les autres. Certains portaient encore leurs élégants vêtements de soirée, tandis que des femmes en robe de nuit, avec peignoir de soie et pantoufles confortables, étaient enveloppées dans des capes, des manteaux ou des fourrures, ou même dans les couvertures de leur lit. La plupart de ces gens semblaient simplement embêtés d'avoir été dérangés dans leur sommeil ou tirés de leurs activités de la soirée pour se retrouver ainsi dehors, dans le froid glacial de la nuit. Quelques bribes de conversation s'élevaient au-dessus du tumulte.

– Si c'est un exercice de sauvetage, le moment me semble particulièrement mal choisi.

– Non, ce n'est pas ça. Il y a un imbécile qui nous a fait foncer dans un iceberg, et nous avons perdu une pale de rotor.

– Je m'attendais à mieux de la part du capitaine Smith.

– Pouvez-vous me dire pourquoi je voudrais monter dans un petit bateau ouvert à tous les vents alors que je pourrais rester bien au chaud dans le confort de ma cabine?

– Ça ne serait jamais arrivé à bord du *Mauritania*.

– Je vais écrire à la White Star Line et elle va connaître ma façon de penser!

Le plus étrange, c'était la présence de l'orchestre qui

accompagnait habituellement les repas des passagers de première classe. Les musiciens, réunis au milieu de la foule, jouaient des airs de ragtime endiablés comme si de rien n'était.

— Mais qu'est-ce qu'ils ont, tous ces gens-là? s'étonna Mme Rankin. Ils ne comprennent pas qu'on est en train de couler?

— Ils ne le croient probablement pas, répondit Paddy en élevant la voix pour se faire comprendre par-dessus la musique. Ils s'imaginent que rien de grave ne peut leur arriver avec l'argent qu'ils ont.

Ils se frayèrent un chemin dans la foule, vers l'endroit où le commandant en second, Henry Wilde, tentait d'aider une vieille dame à enjamber la balustrade pour prendre place dans un canot de sauvetage en équilibre précaire.

— Je n'y arriverai pas, et je ne vois même pas pourquoi j'essaierais! lança-t-elle d'une voix aiguë.

— Il le faut, madame, fit Wilde. Ce sont les ordres du capitaine.

On entendit un petit cri quand elle bascula par-dessus la balustrade et tomba dans le canot de bois.

— Y a-t-il encore des femmes et des enfants? demanda le commandant en second.

Paddy poussa Mme Rankin vers l'avant, et Wilde l'aida à grimper dans le canot. Ses fils Sean et Finnbar la suivirent, mais le commandant en second s'interposa quand vint le tour d'Aidan et de Curran.

– Les femmes et les enfants d'abord, ordonna-t-il.

– Mais ce *sont* des enfants – *mes* enfants! implora Mme Rankin.

– Ils pourront essayer de monter dans un autre canot plus tard, insista Wilde. Pour le moment, nous avons reçu l'ordre d'évacuer les femmes et les enfants.

Mme Rankin le regarda, les yeux exorbités. Quel terrible dilemme! Si elle tentait de garder la famille ensemble et qu'elle sortait du canot avec ses plus jeunes fils, elle risquait de les condamner tous à mort.

– Ça va, maman, lança Curran. Ne t'inquiète pas pour nous. On prendra un autre canot.

– C'est ça, madame, dit Wilde, rassurant. Vos garçons ont tout à fait raison. Vous les reverrez plus tard. Prenez ma place.

Il fit signe à un de ses collègues qui arrivait.

Paddy regarda les passagers s'écarter pour laisser passer le nouveau venu. C'était le deuxième officier Lightoller – ce qui n'annonçait rien de bon pour le jeune passager clandestin. Lightoller, qui le cherchait depuis plusieurs jours, allait sûrement le reconnaître.

Paddy se perdit dans la foule et se dirigea vers l'avant du navire, étonné de constater qu'aucun sentiment d'urgence n'animait ces gens riches. Étaient-ils à ce point stupides? Ils semblaient plus mécontents de devoir porter des gilets de sauvetage laids et encombrants que de savoir que leur navire était en train de couler!

– Les femmes et les enfants seulement! lança le

cinquième officier Lowe avec son drôle d'accent gallois.

Paddy se retourna. Kevin Gilhooley et son garde du corps, Seamus, tentaient de monter à bord du canot confié au cinquième officier.

Moins de 20 minutes plus tôt, Paddy avait fait sortir les deux gangsters de leur cellule, tandis que la prison du bord se remplissait d'eau. Il s'en voulait un peu, d'ailleurs. Il était convaincu que l'organisation des Gilhooley avait assassiné Daniel, son meilleur – et son seul – ami à Belfast. Puis, à bord du *Titanic*, les deux hommes avaient délibérément essayé de tuer Paddy. Et ils avaient bien failli réussir.

Mais de là à les laisser se noyer comme des rats dans une cage...

Paddy n'avait pas pu s'y résoudre, même si ces bandits l'auraient pourtant bien mérité.

Seamus brandit une poignée de billets de banque, mais Lowe le repoussa, insulté.

– Reculez et attendez votre tour comme des gentlemen!

– Si vous ne voulez pas accepter un honnête pourboire, cria Gilhooley, peut-être que la faveur de ne pas vous jeter par-dessus bord pourra vous convaincre?

– Je ne vous laisserai pas monter à moins que Dieu ou le capitaine Smith lui-même m'en donne l'ordre! aboya le cinquième officier en sortant un petit pistolet de la poche de son uniforme.

Seamus et Gilhooley reculèrent, et Paddy se cacha dans

un coin pour ne pas se faire voir. Il avait sauvé les deux bandits, mais ils lui faisaient encore peur.

Il se trouvait devant une des immenses fenêtres du gymnase. Il jeta un coup d'œil à l'intérieur. À sa grande surprise, la pièce était occupée – et pas par n'importe qui! Le colonel John Jacob Astor, l'homme le plus riche à bord, était assis avec sa jeune épouse sur un petit banc d'exercice. À l'aide d'un canif à poignée d'or, il avait découpé un gilet de sauvetage pour montrer à sa femme le liège dont il était rembourré – sans songer qu'un autre infortuné passager pourrait avoir besoin du gilet, désormais inutilisable. Non, décidément, les riches n'étaient pas comme les autres.

Paddy repensa aussitôt à la grande salle de troisième classe et aux centaines de passagers de l'entrepont qui y étaient rassemblés comme un troupeau moutons. Ils avaient choisi de rester en bas et d'attendre « leur tour ».

Avec des gens comme les Astor à bord, leur tour finirait-il par arriver?

CHAPITRE CINQ

RMS *TITANIC*
LUNDI 15 AVRIL 1912, 0 H 35

M. Masterson se hâtait dans Scotland Road, aussi vite que le lui permettait sa béquille. Malgré ses jambes inutiles, il se sentait étrangement revigoré – et bien vivant! Ce soir, pour la première fois depuis 24 ans, il s'était glissé de nouveau dans la peau de son alter ego, Jack l'Éventreur. Il n'avait pas réussi son coup, malheureusement, mais c'était uniquement à cause de son infirmité. Tout cela allait changer à New York. Grâce à la chirurgie miracle que ce médecin lui avait promise, il retrouverait toutes ses capacités et serait prêt à reprendre la grande œuvre de sa vie.

Mais la vilaine petite demoiselle Bronson avait vu son album, et le jeune steward Huggins aussi. Il ne pouvait pas laisser cet objet tomber entre leurs mains – ils le remettraient sûrement aux autorités. Après cette collision avec un iceberg, il y avait de fortes chances que tout le monde doive abandonner le navire. Dans ce cas, une éventuelle opération de récupération risquait de mettre au jour ses précieux souvenirs, surtout si ces terribles jeunes gens lançaient des accusations contre lui. Si sa véritable identité était établie devant les tribunaux, il se balancerait bientôt au bout d'une corde. La chose ne faisait aucun doute.

C'est pour cette raison qu'il se hâtait ainsi vers le pont E. Il devait descendre dans la soute à bagages pour récupérer son album. Il ne fallait surtout pas que sa mission vitale se termine avant même qu'il ait pu la reprendre.

Il avait à peine dépassé la première échelle d'accès qui menait aux salles des chaudières quand il sentit sa béquille lui glisser sous le bras. Il s'effondra et lâcha un cri d'étonnement. Il s'attendait à tomber sur une surface dure et non dans de l'eau glacée.

Mais d'où vient cette eau?

Il se releva péniblement et regarda autour de lui. Grands dieux, comment n'avait-il pas remarqué cela plus tôt? Le pont E penchait fortement, comme une plage de sable lentement submergée par la mer.

Et si c'était le cas ici, aussi loin à l'arrière...

Masterson n'était pas un marin, mais l'image qui se forma aussitôt dans son esprit n'aurait pas pu être plus claire. La proue du *Titanic* était maintenant sous la surface de l'océan et se remplissait d'eau. Le navire soi-disant insubmersible était en train de *couler*!

Il n'avait plus à s'inquiéter de l'album. La cale était sûrement inondée, et les souvenirs qui l'incriminaient avaient été détruits. Il ressentit un bref sentiment de perte, vite remplacé par une deuxième réflexion : le *Titanic* s'enfonçait inexorablement dans l'océan. Le plus urgent, pour le moment, était de trouver une place dans un des canots de sauvetage.

Rien ne devait l'empêcher d'accomplir sa destinée. Même pas la disparition du plus grand navire que le monde ait connu.

— Faites descendre!

Le premier canot à tribord descendait avec quelques soubresauts, pendant que les marins laissaient filer le lourd cordage. Comme personne n'avait envisagé la possibilité que les canots puissent servir un jour, l'équipage n'avait pas pris le temps d'apprendre à les manœuvrer. Sur les navires modernes, on n'avait pas besoin de ça.

Du moins, c'est ce qu'on croyait, se dit Alfie, amer.

En regardant par-dessus bord, il constata avec étonnement que le canot suspendu dans les airs n'était même pas rempli à moitié. Il se tourna vers un des matelots qui s'occupaient des cordages.

— Pourquoi ne l'avez-vous pas rempli? demanda-t-il.

— Oh! Tu te penses plus malin que M. Lightoller? lança le matelot, sans cesser d'agiter les bras comme des pistons.

— Alors, pourquoi est-ce qu'il ne l'a pas rempli, lui?

insista Alfie. Il n'y a pas 30 personnes là-dedans!

– Vingt-huit, Huggins, pour être plus précis, souligna le deuxième officier en regardant Alfie d'un air sévère. Dans un canot qui peut en contenir 65. Mais je ne vois pas pourquoi je devrais justifier mes ordres à des gens comme vous.

– Mais pourquoi? Il y a tellement de gens à sauver!

– S'il y a trop de poids, la coque de bois risque de céder, expliqua Lightoller avec son aplomb habituel. J'ai envoyé le maître d'équipage adjoint et quelques matelots en bas pour qu'ils aillent abaisser la passerelle d'embarquement. Nous allons remplir les canots à partir d'en bas.

– Et s'ils ne la trouvent pas, cette passerelle d'embarquement? demanda Alfie.

– Ne sois pas ridicule, mon garçon. Pourquoi est-ce qu'ils ne la trouveraient pas?

– Parce que les compartiments d'en avant sont en train de se remplir d'eau, et même de déborder! répondit Alfie, énervé. Les ponts inférieurs sont inondés! Et la situation s'aggrave de minute en minute!

– Si c'est vrai, Huggins, dit le deuxième officier, qui semblait avoir du mal à digérer cette information, on dirait bien que nous sommes tous dans une situation un peu difficile.

– Une situation difficile! répéta Alfie en écho. Vous avez probablement envoyé vos hommes chercher une passerelle qui est maintenant sous l'eau! Vous allez les rappeler, au moins? Je peux y aller moi-même, si ça peut vous rendre service!

— Votre responsabilité, c'est de vous occuper de vos passagers, Huggins.

— Mes passagers attendent leur tour pour monter dans les canots, monsieur Lightoller. Pour le moment, je ne peux rien faire de plus pour eux.

— Vous êtes là pour assurer leur confort, lui rappela Lightoller.

— Assurer leur confort?

Alfie avait passé la majeure partie du voyage à trembler devant le deuxième officier du *Titanic*, qui appliquait aveuglément les règles et que rien ne semblait émouvoir. Mais ce sermon sur son rôle et ses responsabilités de steward était tout à fait ridicule.

— Ils sont en train de grelotter dans leur pyjama et leur gilet de sauvetage, pendant que leur navire de rêve est en train de couler à pic! Je ne vois vraiment pas comment je pourrais rendre leur situation plus confortable, monsieur Lightoller! Au risque de me faire réprimander!

— C'est de l'insubordination, Huggins! gronda Lightoller, qui faisait de grands efforts pour se contrôler.

— En effet, monsieur, je suppose que oui.

Alfie tourna le dos au deuxième officier et regarda en bas. Les marches étaient nettement inclinées; aucune n'était exactement là où il s'y attendait. Il se hâta dans Scotland Road, à la recherche du maître d'équipage adjoint et de ses compagnons. Mais il savait bien, au fond, quelle était la véritable raison de sa présence ici : il s'en allait voir le chauffeur John Huggins. Son père.

La coque du *Titanic* était divisée en 16 compartiments scellés. C'est ce qui devait, en théorie, rendre le grand navire insubmersible. Mais en réalité, tous les compartiments étaient en train de se remplir l'un après l'autre, chacun débordant ensuite dans le suivant. Résultat : l'eau semblait venir de toutes les directions, même d'en haut.

Alfie passa une jambe dans l'ouverture et descendit l'échelle de service menant aux salles des chaudières, en s'efforçant de ne pas faire attention aux gouttelettes glacées qui lui coulaient sans arrêt sur la tête. Mais en voyant la scène sur le pont Orlop, il oublia bientôt son propre inconfort. La chaleur intense des flammes, combinée à l'eau qui montait sur près d'un mètre, avait formé un nuage de vapeur aussi dense que du porridge.

Il enleva sa veste mouillée et l'agita de toutes ses forces pour essayer de disperser le brouillard brûlant. Quand le nuage commença à se dissiper, il aperçut les « gueules noires » du *Titanic*, dans l'eau jusqu'à la taille, qui continuaient d'alimenter les chaudières insatiables du navire. Ces hommes se ressemblaient tous, trempés et tachés de suie. Pourtant, Alfie aurait reconnu son père entre mille. John Huggins avait délaissé sa pelle à charbon pour le manche d'une pompe avec laquelle il s'efforçait de repousser l'eau de mer, de plus en plus envahissante.

– Qu'est-ce que tu fais là, papa? Tu ne peux pas pomper l'océan au complet!

Son père interrompit son travail et se tourna vers son fils, furieux.

– Fiche le camp d'ici, espèce d'idiot! Je ne t'ai pas donné la vie pour que tu la gaspilles comme ça!

Alfie le regarda, interdit.

– Fiche le camp toi-même! Vous êtes complètement inutiles ici! Il n'y a personne qui a besoin de vos moteurs! Le navire est arrêté! Il ne va nulle part, seulement au fond de l'eau!

– C'est là que tu te trompes, mon garçon. Ces feux-là ne servent pas seulement à faire marcher les moteurs, mais aussi à garder les lampes allumées. Et à alimenter l'équipement de télégraphie, pour qu'on puisse envoyer des appels de détresse. On est des chauffeurs, et c'est ça, notre rôle.

– Mais comment vas-tu sortir d'ici? cria Alfie. Tu es à neuf ponts plus bas que le canot le plus proche!

L'expression de son père était l'image même de la lassitude et de la résignation.

– Je ne sortirai pas d'ici.

– Ce n'est pas vrai! hurla Alfie. Il y a peut-être des choses pour lesquelles il vaut la peine de mourir, mais pas la White Star Line!

Malgré l'horreur de sa situation, John Huggins affichait une dignité impressionnante.

– C'est dans les moments comme celui-ci qu'un

homme comprend vraiment ce qu'il a fait de sa vie. Comme j'étais toujours en mer, je n'ai pas été un très bon mari, ni un très bon père. Ce que j'avais – *tout* ce que j'avais! –, c'était mon travail. Et je vais continuer à le faire jusqu'à mon dernier souffle à bord de ce navire.

Alfie aurait bien voulu ne pas pleurer, mais quand ses yeux se remplirent de larmes, il fut incapable de les contenir.

– Pour *moi*, tu es bien plus important qu'un travail!

Un sanglot irrépressible secoua le chauffeur au visage noir de suie. C'était la première fois qu'Alfie voyait son père manifester ainsi ses émotions.

– Et toi pour moi, mon garçon! C'est pour ça que tu dois me promettre de survivre à la nuit. Et maintenant, va-t-en. Je vais garder les lampes allumées assez longtemps pour que tu trouves un canot. Tant que tu verras de la lumière, ça voudra dire que je suis encore là.

Ils s'étreignirent rapidement. Ils n'avaient pas le temps de se dire au revoir plus longuement. Puis, le père retourna à sa pompe, et le fils qui avait promis de survivre se dirigea en marchant dans l'eau vers l'échelle de service. Sa vue n'était pas embrouillée qu'à cause de la vapeur.

CHAPITRE SIX

RMS *TITANIC*
Lundi 15 avril 1912, 0 h 40

Sur le pont des embarcations, les voix étaient plus fébriles – et un peu moins polies – maintenant que l'inclinaison du navire devenait évidente même pour les non-initiés. Mais le capitaine Smith n'entendait rien. Les yeux rivés à ses jumelles, il observait une série de lumières à l'horizon – des lumières qui ne pouvaient appartenir qu'à un autre navire.

– Pourquoi est-ce qu'il ne répond pas? se demanda-t-il tout haut. Il ne peut pas être à plus de 8 milles, peut-être 10 au maximum.

Il se tourna vers le marin qui, à côté de lui, envoyait des signaux à l'aide d'une lampe Morse.

– Avez-vous une réponse?

– Négatif, monsieur. Mais il ne semble pas s'éloigner.

– Il ne semble pas bouger du tout. Ils nous ont sûrement vus, pourtant.

Le télégraphiste adjoint Harold Bride apparut sur le pont, un encombrant gilet de sauvetage attaché par-dessus son uniforme.

– Bonne nouvelle, capitaine. Le *Carpathia* a répondu, et il arrive le plus vite possible. Il sera ici à l'aube.

– Jeune homme, souligna le commodore de la White Star Line, *nous*, nous ne serons plus ici à l'aube. Vous n'avez rien reçu de navires plus proches?

Puis en pointant le doigt vers les lumières à l'horizon, il ajouta :

– De celui-ci, par exemple?

– Pas un son, monsieur, répondit le jeune télégraphiste en plissant les paupières dans l'obscurité.

– Vous en êtes sûr?

– Tout à fait sûr, confirma Bride. À cette distance, son signal m'aurait rendu sourd.

– Très bien, conclut le capitaine avec un bref hochement de tête. Continuez à transmettre notre CQD.

– Bien, monsieur. Je pourrais même essayer autre chose : un SOS, peut-être? dit Bride avec un sourire amer. Ce sera sans doute la seule fois de ma vie où j'aurai la chance de le faire.

Le capitaine Smith ne lui rendit pas son sourire. Le commandement d'un navire était une affaire sérieuse, et les décisions qu'il allait devoir prendre cette nuit seraient sûrement les plus importantes de sa longue et illustre carrière. Il se tourna vers le marin qui tenait la lampe Morse.

– C'est le moment, Harper. D'abord une première fusée, puis une autre toutes les cinq ou six minutes par la suite. Nous devons absolument nous faire repérer par ce navire.

☆

M. Isidor Straus, le propriétaire du grand magasin Macy's de New York, s'éloigna légèrement du canot.

– Allez-y, ma chère, dit-il à sa femme. L'ordre d'évacuation vise seulement les femmes et les enfants. Je vous suivrai plus tard.

– Je suis certain, dit le premier officier Murdoch, que personne n'aura d'objection à ce qu'un homme de votre âge monte dans ce canot.

Mais le vieux multimillionnaire refusa net.

– Je n'embarquerai pas avant les autres hommes.

Sa femme recula elle aussi et prit la main de son mari.

– Nous sommes ensemble depuis si longtemps... dit-elle doucement. Je reste avec vous.

Et ils s'éloignèrent tous les deux.

Murdoch avala sa salive, la gorge serrée. Il savait trop bien ce que la décision des Straus pouvait signifier pour eux. C'est lui qui était aux commandes quand le *Titanic* avant frappé l'iceberg. Et la pensée qu'il aurait peut-être pu éviter cet accident lui était presque insupportable.

– Y a-t-il d'autres femmes et d'autres enfants? appela-t-il.

Il tendit la main vers la première passagère en ligne. C'était Amelia Bronson.

– Il n'en est strictement pas question!

– Pardon? demanda Murdoch, abasourdi.

– Mère! ajouta Sophie.

– Je refuse de prendre place dans un canot sous prétexte qu'il faut y faire monter les femmes et les enfants d'abord!

– Mais, madame! protesta Murdoch. C'est la loi de la marine depuis des siècles!

– Eh bien, c'est une erreur depuis des siècles, insista Mme Bronson. J'ai consacré ma vie à lutter pour l'égalité des hommes et des femmes!

– Mère! s'écria Sophie, inquiète. Ceci n'a rien à voir avec le droit de vote!

– Au contraire, Sophie, c'est exactement la même chose!

Mme Bronson se tourna vers les passagers présents sur le pont des embarcations, comme si elle s'apprêtait à prononcer un discours dans un rassemblement des suffragettes.

– Il est normal que les enfants bénéficient d'un traitement de faveur, claironna-t-elle d'une voix stridente. Mais pas nous, les femmes. Nous sommes aussi intelligentes que les hommes et nous devons prendre part nous aussi aux décisions qui façonnent notre avenir. Tout comme nous devons en subir les conséquences quand nos entreprises tournent mal. Les égards qu'on nous réserve, ce sont des marques de mépris! Je suis capable de prendre soin de moi-même aussi bien que M. Straus.

– Alors, vous n'avez qu'à céder votre place, madame,

ordonna Murdoch.

Le premier officier offrit son bras à la passagère suivante et l'aida à enjamber le plat-bord du canot.

Sophie, furieuse, se tourna vers sa mère et lui parla sur un ton qu'elle n'avait encore jamais pris avec elle.

— Mère, je vous respecte et j'admire ce que vous cherchez à faire pour les femmes, mais cette fois-ci, vous êtes allée trop loin!

— Au contraire, je ne suis pas allée assez loin. Pour apporter de grands changements, il faut profiter des grandes occasions quand elles se présentent. Et ce soir, c'est une très grande occasion!

— *Une grande occasion?* s'écria Sophie. Avez-vous perdu la tête? Combien de fois allez-vous pouvoir voter, au fond de l'océan?

— Allons, ne prends pas cet air tragique! répliqua sa mère. Je ne suis vraiment pas convaincue que ce navire soit en train de couler.

— Eh bien, vous risquez d'avoir une surprise! Quand on fait un exercice d'évacuation, on ne va pas jusqu'à remplir les canots de sauvetage, à les faire descendre et à envoyer les gens en mer au beau milieu de la nuit. Les ponts inférieurs sont remplis d'eau, je l'ai constaté moi-même. Qu'est-ce qu'il faut de plus pour vous convaincre?

Au même moment, on entendit une forte détonation, suivie d'un long sifflement. Tous les yeux se portèrent vers la fusée de détresse qui explosait en une pluie de scintillantes étoiles blanches.

Une lueur sinistre éclaira les visages levés vers le ciel.

CHAPITRE SEPT

RMS *CALIFORNIAN*
Lundi 15 avril 1912, 0 h 45

Il n'y avait pas grand-chose de plus monotone que la vigie de nuit à bord d'un navire immobilisé dans un champ de glace. L'apprenti James Gibson observait depuis quelque temps le navire arrêté à plusieurs kilomètres de là, surtout parce qu'il n'avait à peu près rien d'autre à faire. Le grand navire était arrivé de l'est à haute vitesse, mais il semblait avoir à peine bougé depuis une heure. Il était probablement entouré de glace lui aussi, comme le *Californian*. Dans ses jumelles, Gibson distinguait des lumières sur le pont.

– Un vrai cirque! murmura-t-il pour lui-même, un peu jaloux.

Sur les luxueux transatlantiques comme celui-là, c'était Noël tous les jours – une grande fête qui n'arrêtait pas. Et voilà qu'ils faisaient exploser des feux d'artifice... à près d'une heure du matin! Quel gaspillage, quels enfants gâtés! En plus, c'était tout à fait irresponsable. Tout à coup que quelqu'un prendrait ces feux d'artifice pour...

des fusées de détresse?

Il sentit son cœur se serrer, comme pris dans un étau par une main glacée, et tendit le bras vers le porte-voix qui reliait le nid-de-pie aux quartiers du capitaine Lord. C'est alors qu'il se rappela, mot pour mot, ce qu'avait dit le capitaine en se retirant pour la nuit : « Je ne veux pas être dérangé, à moins que la banquise se referme autour du navire et qu'elle commence à faire éclater la coque. »

Ça ne pouvait pas être plus clair.

Mais quand il aperçut une nouvelle fusée, quelques minutes plus tard, il alerta tout de même le troisième officier Groves, que le capitaine Lord n'intimidait pas tout à fait autant.

Groves n'hésita pas à s'emparer du porte-voix.

— Est-ce que ce sont des signaux de compagnie? demanda le capitaine d'une voix ensommeillée.

— Des fusées blanches, monsieur, répondit Groves.

On entendit clairement le bâillement du capitaine dans le porte-voix.

— Essayez de les joindre avec la lampe Morse. Tenez-moi au courant.

Et le capitaine du *Californian* se recoucha.

Alfie remonta dans Scotland Road et se dirigea vers l'arrière, dans l'eau jusqu'aux chevilles. Il sanglotait à présent sans fausse honte, aveuglé par les larmes, inconscient de ce qui l'entourait. Il ne s'était jamais senti aussi seul, même quand sa mère l'avait abandonné. À ce moment-là, il avait trouvé du réconfort à la pensée qu'elle était là, quelque part, vivante... peut-être même heureuse. Mais ce soir, il ne pouvait pas se cacher qu'il avait sûrement vu son père pour la dernière fois. Puisque John Huggins avait passé toute sa vie dans la chaleur et la saleté des chaufferies de navires, il était peut-être approprié que le plus grand de ces navires devienne sa tombe. Mais c'était quand même difficile à accepter. Très difficile!

L'attaque le prit complètement par surprise. Un objet de bois le frappa durement au visage, lui ouvrant la joue et le jetant par terre, sur le dos, dans l'eau glacée qui couvrait le pont. Il avait le visage en sang. La silhouette sombre qui s'élevait devant lui, la main levée pour le frapper encore une fois avec son arme improvisée, semblait sortie tout droit d'un des petits romans à quatre sous dont sa mère raffolait.

M. Masterson... Jack l'Éventreur en personne.

L'horreur de la situation tira brusquement Alfie de son affliction et le lança dans l'action. Il roula vers la gauche, une fraction de seconde avant que la béquille s'abatte à nouveau sur lui et se fissure en frappant le pont. Masterson avait les jambes à peu près paralysées, mais il avait appris à compenser son handicap par une force remarquable dans le haut du corps.

— Tu as peut-être trouvé mon album et percé mon

secret, mais l'album sert maintenant de nourriture aux poissons, et ce sera ton tour bientôt. Quand les secours arriveront, je ne te laisserai pas gâcher ma nouvelle vie en Amérique.

Alfie recula comme un crabe sur le pont mouillé pour se mettre hors de portée du tueur.

— On va tous nourrir les poissons bientôt, souffla-t-il, haletant. Le navire pique du nez, et il n'y a pas assez de canots de sauvetage pour tout le monde!

— Pas pour toi, peut-être, répondit Masterson avec un sourire diabolique. Mais pour un vieil infirme comme moi, on fera sûrement une exception à la règle qui veut qu'on évacue « les femmes et les enfants d'abord ».

Seigneur! Il a raison! se dit Alfie. Le coup fut presque aussi dur que celui que Masterson venait de lui asséner avec sa béquille. Personne – pas même un manuel de règlements ambulant comme Lightoller – n'oserait refuser à un infirme une place dans un canot de sauvetage. Alors, la bête allait survivre, toutes les preuves de ses crimes disparues à jamais au fond de l'océan. Il aurait sa chirurgie, et il guérirait. Et il ne resterait plus personne en vie pour avertir les gens de New York de la menace qui venait d'arriver chez eux.

D'un coup de pied, Alfie faucha les deux jambes invalides de M. Masterson. Le vieil homme tomba comme une masse. On entendit un sinistre craquement quand sa tête alla frapper le pont, et la béquille tomba de sa main inerte. Alfie se précipita pour la ramasser et la souleva à

bout de bras. Il avait bien l'intention de s'en servir pour
fendre le crâne de Masterson et mettre fin une fois pour
toutes au cauchemar de Jack l'Éventreur, dont le mystère
durait depuis beaucoup trop longtemps.

Il hésita. Masterson était inconscient, mais il respirait
encore. Alfie voyait le tissu de son gilet de sauvetage se
soulever et s'abaisser en cadence, au rythme de sa
respiration. L'océan ferait sûrement le reste. Mais juste au
cas...

Il s'éloigna de quelques pas et laissa tomber la béquille
dans l'eau qui tourbillonnait au pied d'une échelle de
service. Maintenant, même si le meurtrier reprenait
connaissance, il ne se rendrait sûrement jamais jusqu'au
pont des embarcations.

L'eau glacée commençait à monter autour de Jack
l'Éventreur, mais il ne bougea pas.

Paddy descendit en courant l'escalier qui menait à la
troisième classe et s'arrêta net en arrivant en bas. Où était
tout le monde? Quelques minutes avant, la majeure partie
des passagers de l'entrepont – des centaines en tout –
étaient entassés là, en attendant qu'on les invite à monter
sur le pont des embarcations. Ils étaient peut-être en train
de monter dans les canots en ce moment même. Mais
Paddy en doutait. Il n'était pas marin, ni mathématicien,
mais son bon sens lui disait que, quand tous les canots
seraient remplis et descendus, il resterait encore une foule

de gens à bord, condamnés à couler avec le majestueux *Titanic*. Et il était prêt à parier que la majorité de ces malheureux ne seraient pas de la première classe...

De toute manière, s'ils étaient effectivement en train de monter, Paddy imaginait trop bien le chemin long et tortueux qu'ils allaient devoir prendre. Depuis qu'il était descendu tout à l'heure, les portes menant au pont du coffre arrière avaient été verrouillées. Et si les autres accès étaient bloqués eux aussi? Qui sait combien de gens erraient en ce moment, complètement perdus, dans le labyrinthe de l'immense navire? Et s'ils étaient *perdus*, cela voulait dire qu'ils étaient *condamnés*.

Il entendit soudain un petit gémissement et regarda autour de lui. Un chien? Un chat? Il y avait des animaux de compagnie sur le *Titanic*, mais pas à l'entrepont. La plupart des passagers de troisième classe avaient déjà du mal à se nourrir eux-mêmes. Ils n'avaient sûrement pas les moyens d'acheter à manger pour des animaux.

Il vit soudain un petit paquet de linge qui bougeait sur un banc de bois. Une fillette se redressa et se mit à pleurer.

Paddy sentit son cœur se serrer. Il avait dû y avoir un mouvement de panique parmi les passagers, puisque quelqu'un l'avait oubliée là. Le jeune garçon alla s'asseoir à côté d'elle.

– Allons, allons, ça va aller mieux maintenant. Comment t'appelles-tu?

La petite était trop terrifiée pour parler, ou peut-être

trop jeune. Elle n'avait sûrement pas plus de deux ou trois ans.

— Bon, eh bien, tant pis. On va aller trouver ta maman.

Il prit la fillette dans ses bras, et elle se cala contre lui, confiante, ce qui lui fit chaud au cœur. Elle était légère comme une plume.

Maintenant que le pont du coffre était inaccessible, Paddy n'avait pas d'autre choix que de se diriger vers l'avant sur le pont E, où la pente vers le bas était de plus en plus accentuée. Il faillit tomber — et laisser tomber la fillette — en trébuchant sur des pommes de terre qui roulaient par terre, sorties d'une dépense dont la porte était entrouverte. En poursuivant son chemin dans l'étroit couloir qui contournait l'énorme tambour des machines et se jetait dans le long corridor de Scotland Road, il faillit entrer en collision avec quelqu'un qui arrivait en courant.

— Alfie! s'écria-t-il. On dirait que tu t'es battu!

Alfie fit la grimace, ce qui fit saigner encore plus abondamment la blessure ouverte sur sa joue.

— Tu devrais voir l'autre gars, souffla-t-il, haletant.

Puis il regarda la fillette dans les bras de Paddy et ajouta :

— Y aurait-il des choses à ton sujet que je ne sais pas?

— Elle n'est pas à moi, voyons! protesta Paddy en rougissant. Je l'ai trouvée en bas de l'escalier, en troisième classe. Il y a des gens qui vont avoir tout un choc quand ils vont compter les membres de la famille! Qu'est-ce que tu fais ici?

– Je suis allé dire adieu à mon père, déclara Alfie, le visage sombre.

– Je suis désolé pour toi, Alfie, fit doucement Paddy, ébranlé par la nouvelle. Mais peut-être qu'il s'en tirera.

– Il n'essaiera même pas, fit le jeune steward en secouant la tête.

Ils entendirent un grincement, suivi d'un craquement sonore, et la porte de la dépense s'ouvrit soudain toute grande. Un flot de biscuits, gonflés par l'eau de mer, se répandit dans le corridor. La petite fille se remit à pleurer, effrayée par le bruit.

– Allons trouver un canot pour cette petite, dit Paddy d'une voix pressante.

Ils prirent un étroit escalier de service pour monter en première classe, sur le pont des embarcations, et se retrouvèrent dans un chaos total. Il y avait deux fois plus de monde qu'un peu plus tôt. La politesse et le décorum avaient complètement disparu. Plus de la moitié des canots avaient déjà été descendus et s'éloignaient maintenant du navire, à des dizaines de mètres plus bas, sur une mer lisse comme du verre. Des passagers inquiets étaient rassemblés autour des embarcations qui restaient. Ceux qui étaient les plus près de la balustrade voyaient clairement que la proue s'enfonçait, à tel point que le pont du coffre se trouvait maintenant juste au-dessus de la surface. Le naufrage – dont tout le monde parlait à la blague quelques minutes auparavant – était en train de devenir une réalité inéluctable.

Le vacarme était causé tant par les instructions de l'équipage que par les adieux éplorés des couples obligés de se séparer, les femmes se faisant aider pour monter dans les canots et laissant leurs maris à bord.

Les hommes s'efforçaient de se montrer optimistes.

– À bientôt, ma chérie.

– Je prendrai le prochain canot, c'est tout.

– Prends bien soin des enfants. Je vous rejoindrai dans quelques heures.

Pourtant, ces assurances se faisaient de minute en minute un peu plus inquiètes et un peu plus forcées. Il devenait évident qu'on manquerait de canots de sauvetage bien avant que tous les passagers soient évacués. Seule la musique demeurait optimiste. Dans le chaos ambiant, on entendait les airs rythmés du ragtime.

– Est-ce qu'ils sont fous, ou simplement stupides? demanda Paddy en soulevant l'enfant. Pourquoi est-ce qu'ils continuent à jouer dans un moment pareil?

– Pourquoi est-ce que papa est encore à sa pompe? souligna tristement Alfie en haussant les épaules. Dans quel canot est-ce qu'on devrait la mettre?

Il parcourut la scène du regard.

– N'importe lequel, du moment que Lightoller n'est pas là, répondit aussitôt Paddy. Elle est vraiment toute petite. Ça ne sera pas difficile de lui trouver une place.

— Alfie! Paddy!

Ils n'avaient pas reconnu Juliana, même s'ils l'avaient vue moins d'une demi-heure auparavant. Elle avait le visage barbouillé de larmes, les yeux hagards et rouges d'avoir trop pleuré. Ses cheveux défaits pendaient sur ses épaules, tout mouillés.

— Pourquoi est-ce que vous n'êtes pas dans un canot? demanda Alfie.

— Père refuse de s'en aller! sanglota la jeune fille. Il joue aux cartes! Et il est en train de gagner!

— Il n'aura jamais l'occasion de le dépenser, cet argent, fit remarquer sobrement Paddy.

Il avait très peu de sympathie pour le 17e comte de Glamford, qui n'était décidément pas un très bon père pour sa fille. Juliana avait appris que son voyage en Amérique avait pour but de la fiancer au fils d'une riche famille texane, uniquement pour rembourser les dettes de jeu du comte et financer son train de vie coûteux.

— Ce n'est pas pour ça, coupa Alfie pour tenter de la réconforter. Il sait qu'il n'a aucune chance de pouvoir monter dans un canot tant qu'ils n'ont pas fini d'évacuer les femmes et les enfants. Vous devez le laisser faire à sa guise.

— Le laisser *mourir*, vous voulez dire? lança-t-elle, au bord de l'hystérie.

— Il y a beaucoup de gens qui vont mourir ici ce soir,

prédit Paddy, l'air sombre. Et ça n'aidera pas votre père si vous en faites partie.

Il lui tendit la petite, qui pleurnichait toujours, et poursuivit :

– Tenez, vous pouvez la prendre avec vous, tant qu'à faire.

Juliana, abasourdie, reçut dans ses bras le petit paquet qui gigotait.

– Qui est-ce? Où est sa famille?

– Il va falloir attendre pour le savoir, décréta Alfie.

– Sa mère doit être dans tous ses états! insista Juliana. Il faut la retrouver!

Les trois amis se tournèrent vers la foule de plus en plus nombreuse qui encombrait le pont des embarcations. Il y avait déjà des centaines de gens; la situation était de plus en plus chaotique.

La voix de Wilde, le commandant en second, s'éleva au-dessus du vacarme.

– Y a-t-il encore des femmes et des enfants?

– Ici!

Alfie prit Juliana par le bras et la poussa devant lui pour lui faire traverser l'attroupement des hommes qui entouraient maintenant le commandant en second.

Mais les hommes refusaient de bouger. S'il ne restait plus de femmes à bord, ils auraient peut-être enfin leur tour – leur chance de survivre. Paddy tenta lui aussi de les écarter. Son expérience de pickpocket, pendant les mois qu'il avait passés à Belfast, lui avait appris à manœuvrer dans une foule dense.

– Très bien, faites-le descendre, ordonna Wilde.

Le canot s'ébranla brusquement.

– Attendez! hurla Alfie, en tentant sans succès d'ouvrir un chemin à Juliana.

CHAPITRE HUIT

RMS *TITANIC*
Lundi 15 avril 1912, 1 h 35

Paddy prit son élan et enfonça une de ses bottes cloutées dans le tibia le plus proche. On entendit un cri de douleur, et un corps s'effondra, puis un autre. Paddy et Alfie continuèrent à foncer vers l'avant, en poussant Juliana et la fillette devant eux.

— Encore deux! cria Alfie.

Il resta là sans bouger tandis que Juliana et sa petite protégée étaient hissées par-dessus le plat-bord. Le visage de la jeune fille apparut bientôt entre les rails de la balustrade.

Elle était toute pâle, les yeux agrandis de terreur.

— Pour l'amour de Dieu, mettez-vous en lieu sûr vous aussi! sanglota-t-elle.

Aucun des deux garçons ne lui répondit. Mais tandis qu'elle descendait hors de vue, Alfie se tourna vers son ami.

— Je suppose que tu n'as rien à suggérer pour qu'on y arrive, hein?

Mais Paddy venait d'apercevoir une silhouette bien connue. L'homme était en redingote et ne portait pas de gilet de sauvetage.

– Je reviens tout de suite, annonça-t-il à Alfie. J'ai quelque chose d'important à faire.

– Quelque chose d'important? s'étonna Alfie. Plus important que de sortir d'ici?

– J'ai un message à transmettre, et j'ai bien l'impression que c'est ma dernière chance, expliqua Paddy.

Il se fraya un chemin vers l'homme qui venait de retenir son attention et lui emboîta le pas.

M. Thomas Andrews, l'architecte du *Titanic*, parcourait le pont des embarcations avec une infatigable énergie. Il n'avait pas l'air de se hâter, et pourtant il se déplaçait à grandes enjambées. En quelques minutes, il avait expliqué à un marin, un genou par terre, la meilleure technique pour laisser filer la corde en abaissant un canot et s'était empressé ensuite d'aller aider une passagère de troisième classe, affolée, à attacher son gilet de sauvetage. Puis, une seconde plus tard, il était en conversation avec J. Bruce Ismay, le directeur général de la White Star Line. Si l'architecte était atterré du sort qui attendait son chef-d'œuvre, il n'en laissait rien paraître.

Paddy le suivit dans un escalier qui descendait vers le pont A, et de là dans la superstructure du navire. L'homme parcourait le luxueux corridor en jetant un coup d'œil dans chaque pièce, à la recherche de traînards ou de passagers ayant besoin d'aide.

– On m'a dit qu'il y avait encore des gens qui jouaient aux cartes au salon, monsieur, intervint Paddy. Mais pas de dames.

Thomas Andrews se retourna et le reconnut aussitôt.

– Je te connais, n'est-ce pas? C'est toi qui cherchais à échapper à la chaleur des salles des chaudières.

Paddy hocha la tête.

– Patrick Burns, monsieur. Mais on s'est rencontrés pour la première fois au chantier maritime, à Belfast. J'étais avec mon ami Daniel Sullivan, qui voulait être architecte naval comme vous.

– Les deux gamins des rues, murmura Andrews en hochant la tête et en fronçant les sourcils. Je me souviens de vous. Et comme tu es ici, je présume que c'est toi, le passager clandestin dont tout le monde parlait. J'ai bien peur que tu n'aies pas choisi le bon navire pour ton aventure. Est-ce que ton ami Daniel est à bord lui aussi?

– Daniel est mort, répondit Paddy. On était en chemin pour vous remettre quelque chose quand il s'est fait tuer par les Gilhooley.

– Je suis désolé d'entendre ça, répondit sincèrement M. Andrews. C'était un garçon intelligent. Je me souviens qu'il voulait absolument me montrer comment le *Titanic* pourrait sombrer.

Il poursuivit avec un petit rire sans joie :

– On dirait bien que le destin va s'en charger pour lui.

Paddy prit sous sa chemise une feuille de papier

froissée, pliée plusieurs fois. Il la portait sur lui, tout près de son cœur, depuis le jour où Daniel avait été tué. C'était le diagramme auquel son ami avait travaillé pendant des heures, celui qui devait prouver que le *Titanic* n'était pas insubmersible, après tout. Paddy n'y comprenait rien. Mais, enfin, il se trouvait devant la personne la mieux placée pour comprendre : le concepteur du navire lui-même.

Il déplia soigneusement le dessin et le remit à l'architecte.

— Est-ce qu'il avait raison?

Thomas Andrews étudia le dessin pendant plusieurs minutes, le visage de plus en plus gris.

— Grands dieux! s'exclama-t-il avant de répéter plus doucement. Grands dieux! Voilà un garçon qui n'était probablement jamais allé à l'école, et pourtant, il a su voir ce qu'un architecte naval diplômé n'avait pas vu!

Paddy ne put s'empêcher de sourire.

— Daniel était intelligent, c'est sûr, dit-il fièrement. Je vous l'avais dit, à Belfast.

L'architecte étendit la feuille de papier sur une table basse.

— Regarde ici, expliqua-t-il. Ton ami ne pouvait pas prévoir qu'il y aurait un iceberg. Mais il avait prévu, avec raison, j'en ai bien peur, que les dommages les plus sérieux pourraient venir non pas d'une collision frontale, mais plutôt d'un coup oblique, sur le flanc du navire. Il savait qu'un impact latéral, comme celui-là, ouvrirait une brèche dans plusieurs compartiments étanches – et pas qu'un ou deux. Si seulement j'avais vu cette brillante démonstration avant le départ du *Titanic*...

– Et alors? demanda vivement Paddy. Auriez-vous annulé sa traversée inaugurale?

– Je ne sais pas, fit l'architecte en secouant la tête d'un air las. Ce n'est probablement pas moi qui aurais pris la décision. Le *Titanic* représente un investissement de plusieurs millions de livres pour la White Star Line – c'est le navire le plus grand et le plus coûteux qui ait jamais été construit.

Paddy parcourut du regard le luxe qui l'entourait, toujours aussi émerveillé par l'opulence exceptionnelle du navire condamné.

– Ça n'a pas aidé, tous ces millions, commenta-t-il.

– En effet, approuva Thomas Andrews en le regardant tristement. Quand l'Atlantique se refermera au-dessus de mon merveilleux *Titanic*, ça n'aura plus aucune importance que ses murs aient été lambrissés de bois de rose, que ses meubles aient été recouverts du cuir le plus fin et que ses chandeliers aient été en cristal.

Puis il regarda le jeune clandestin d'un air admiratif et ajouta :

– Tu me parais aussi sage que ton pauvre ami... et peut-être aussi malchanceux.

– Il n'y a vraiment rien à faire, monsieur Andrews? insista Paddy. Vous connaissez le navire mieux que tout le monde. Est-ce qu'on est vraiment tous condamnés à mourir?

Thomas Andrews répondit très lentement, en pesant bien ses mots, comme s'il voulait être certain que Paddy s'en souviendrait au moment voulu.

– N'attends pas de couler avec le navire, Paddy. Quand la mer sera rendue au niveau du pont, tu devras te sauver à la nage. Il y aura d'autres navires dans les environs, mais tu auras très peu de temps pour les atteindre. L'eau est glaciale – ce sera presque intolérable, et tu risques de perdre connaissance en quelques minutes. Et alors, tu mourras.

Paddy avala péniblement sa salive.

– C'est ce que vous avez l'intention de faire, monsieur Andrews?

– Je suis avec le *Titanic* depuis la pose de son premier rivet, répondit l'architecte avec un sourire résigné, et je resterai avec lui jusqu'à la fin. Je lui dois bien ça.

Paddy n'eut pas besoin de lui demander ce qu'il voulait dire. Le célèbre Thomas Andrews avait bien l'intention de disparaître avec son navire.

CHAPITRE NEUF

RMS *CARPATHIA*
LUNDI 15 AVRIL 1912, 1 H 45

Le capitaine Arthur Rostron naviguait depuis 27 ans, et pourtant, il n'avait jamais eu à donner autant d'ordres en si peu de temps. Établir une trajectoire jusqu'à l'infortuné *Titanic*. Couper le chauffage et l'eau chaude pour envoyer toute la vapeur vers les moteurs, afin que le navire puisse atteindre sa vitesse maximale. Sortir les canots de sauvetage. Ouvrir les passerelles d'embarquement. Déployer les échelles de corde. Préparer de la nourriture chaude. Installer des postes de premiers soins dans les salles à manger. Convertir tous les espaces libres en quartiers pour les rescapés.

Le cerveau du capitaine fonctionnait à plein régime. Avait-il pensé à tout?

Une tête aux cheveux noirs bouclés apparut soudain dans son champ de vision, et une jeune voix à l'accent étranger annonça :

– Presque 18 nœuds. C'est bien, hein?

Rostron se retourna brusquement.

– Qu'est-ce que ce garçon fait sur ma passerelle?

– C'est le jeune homme dont je vous ai parlé, monsieur, répondit le télégraphiste Cottam. Drazen, le fils de l'ambassadeur Curcovic. C'est lui qui était en poste quand nous avons reçu le CQD du *Titanic*.

– Eh bien, on dirait que nous te devons tous une fière chandelle, Drazen, reconnut Rostron.

– Est-ce qu'on sera là à temps, capitaine? demanda le garçon.

– Je l'espère bien, répondit le capitaine. Sinon, il faudra préparer des linceuls plutôt que du café.

Juliana ne savait pas très bien qui était la plus effrayée des deux : elle-même ou la petite fille qui pleurnichait dans ses bras. Pendant que le canot était abaissé, elle avait l'impression d'être arrivée au bout de la Terre et d'être en train de tomber dans un gouffre sans fond. Ils descendaient par à-coups brusques, soudain déséquilibrés lorsque la proue tombait plus vite que la poupe, ou inversement. Le canot oscillait tellement que les passagers avaient l'impression, par moments, qu'ils allaient tous basculer dans l'océan. Juliana était certaine qu'elle serait tombée s'ils n'avaient pas été trop entassés pour pouvoir bouger. C'était au moins ça de pris!

– On est directement au-dessus de l'échappement du condenseur! cria soudain un marin posté près de la proue.

– Qu'est-ce que c'est, l'échappement du condenseur?

lança Juliana, en même temps que plusieurs autres.

La réponse leur parvint bien assez vite. En regardant par-dessus bord, la jeune fille aperçut un puissant jet d'eau qui jaillissait sous pression de la coque du *Titanic*.

– On va être engloutis! s'exclama Juliana.

Un instant plus tard, ils étaient rendus tout près. Le jet d'eau frappa avec force la proue du canot, et ils se mirent à tressauter et à rebondir comme un volant de badminton, toujours suspendus aux câbles qui descendaient d'en haut.

Tout à coup, les lumières du grand navire furent cachées par une longue forme sombre qui s'approchait rapidement au-dessus de leurs têtes.

– Un autre canot! hurla une dame âgée.

Ils comprirent aussitôt toute l'horreur de la situation. Le jet d'eau les poussait droit dans la trajectoire du canot qui avait été descendu après le leur. S'il arrivait sur eux, c'en était fait des deux embarcations.

Soixante-quatre personnes – passagers et matelots – se mirent à crier toutes en même temps.

– *Arrêteeeez!*

En vain. Le pont des embarcations était à plusieurs étages au-dessus d'eux, et ils n'avaient aucune chance de se faire entendre là-haut vu l'urgence du moment et le désordre qui y régnait.

– Regardez à vos pieds! ordonna le marin posté à la proue. Il y a une tige qui permet de nous libérer des câbles!

Mais, dans la panique générale, personne ne trouva

quoi que ce soit.

Passagers et matelots étaient debout et tentaient de trancher les épais cordages avec des couteaux, des ciseaux de couture et même des épingles à cheveux. La coque qui descendait vers eux était maintenant à quelques mètres à peine, cachant tout ce qui les entourait, ne leur laissant que leur épouvante. Juliana coucha la petite fille par terre, au fond du canot, et s'étendit sur elle – mais quelle protection pourrait-elle lui offrir, avec sa frêle ossature, s'ils étaient tous écrabouillés?

Et puis, contre tout espoir, la force du jet d'eau les envoya valser sur une vague d'écume, loin du *Titanic*. L'autre canot frappa la surface à l'endroit même où le canot de Juliana se trouvait une fraction de seconde plus tôt.

Juliana se pencha et reprit la fillette dans ses bras. Dans le canot, la terreur avait fait place au soulagement.

– Tu vois, poupette? Il n'y avait pas de raison d'avoir peur!

Lorsque la dernière fusée éclairante se fut éteinte doucement, après avoir jeté ses étincelles dans le ciel noir, le capitaine Smith se retrouva dans une situation qu'il n'avait jamais connue au cours de sa longue et illustre carrière. Il n'avait rien à faire. Le moment n'était pas encore venu de libérer les membres d'équipage de leurs fonctions et de déclarer le sauve-qui-peut général. Et quand ce serait fait, il ne lui resterait plus qu'une seule obligation : se laisser couler avec le *Titanic*, comme les capitaines de vaisseaux l'avaient toujours fait depuis les navigateurs de l'Antiquité qui prenaient la mer sur des radeaux primitifs.

Pour le moment, il se tournait les pouces pendant que ses officiers terminaient le chargement des quelques canots restants et que les opérateurs Marconi continuaient de transmettre des appels de détresse – tant CQD que SOS. Plusieurs navires se dirigeaient vers eux à toute vapeur, mais même le plus proche, le *Carpathia*, se trouvait encore à une centaine de kilomètres. Lorsque le *Titanic* coulerait pour de bon, ses passagers et ses membres d'équipage seraient livrés à eux-mêmes. Dans ces eaux glaciales, beaucoup d'entre eux périraient inévitablement.

Et lui, leur capitaine, ne pouvait rien faire pour empêcher ce drame. Ce sentiment d'impuissance lui était tout aussi étranger que l'oisiveté. Il ne pouvait pas s'empêcher de revivre en pensée tous les instants de la traversée. Aurait-il pu faire quelque chose pour éviter le désastre? Que se serait-il passé s'il avait refusé la requête de M. Ismay, qui lui avait demandé d'allumer les deux dernières chaudières? Le directeur général de la White Star Line n'avait songé qu'aux manchettes que susciterait sûrement leur arrivée triomphale à New York s'ils étaient en avance sur leur horaire. Certes, M. Ismay était son employeur, mais c'était lui – le capitaine – qui avait le dernier mot une fois le navire en mer. Si le *Titanic* avait filé moins vite, aurait-il disposé des précieuses minutes nécessaires pour contourner l'iceberg?

Le capitaine fit la grimace. M. Ismay aurait ses manchettes, cela ne faisait aucune doute, mais pas tout à fait celles qu'il espérait.

Il avait eu une carrière sans tache; jamais il n'avait pris une mauvaise décision, du moins jusqu'à celle-ci. L'Histoire pardonnerait peut-être cette erreur à E. J. Smith. Mais lui-même ne se la pardonnerait jamais.

À une dizaine de milles marins, les lumières de l'autre navire brillaient toujours, comme pour le narguer. Grands dieux, il fallait qu'ils soient tous aveugles pour ne pas avoir vu ses fusées! Aveugles ou criminellement indifférents! Si le capitaine Smith était en grande partie responsable des événements de cette nuit, le commandant de ce vaisseau l'était tout autant.

Il regarda vers l'avant, pour observer ce qui se passait au-delà de sa passerelle. Le pont des embarcations était rempli de gens inquiets et désespérés. Le sort qui attendait le *Titanic* n'était plus un secret, même pour quelqu'un n'ayant rien d'un marin. À l'avant, le pont du coffre avait complètement disparu. Seul le coqueron avant sortait de l'océan comme une île triangulaire, le mât et le nid-de-pie inclinés à un angle qui donnait le vertige. La pente du navire était de plus en plus accentuée à mesure que la proue s'abaissait et que la poupe remontait. Mais le pire, c'était la cruelle arithmétique des canots de sauvetage. Il n'en restait plus que deux à remplir, en plus des deux petits Engelhardt repliables que l'équipage s'affairait à descendre des toits de la timonerie et des quartiers des officiers.

En parcourant du regard les pauvres condamnés à mort, ses yeux tombèrent sur deux femmes, un peu à l'écart des autres, absorbées dans une conversation qui ressemblait plutôt à une dispute. C'était la suffragette américaine, Mme Bronson, et sa fille. Pourquoi diable ces deux passagères de première classe étaient-elles toujours à bord?

Le capitaine Smith redressa ses épaules voûtées par l'angoisse. Voilà au moins une chose qui était en son pouvoir : sauver ces deux passagères, à défaut de pouvoir sauver tout le monde.

Il se dirigea vers elles, près du treillis qui protégeait la verrière du grand escalier.

— Mesdames, fit-il sans perdre de temps en politesses, suivez-moi tout de suite. Il n'y a pas de temps à perdre.

Amelia Bronson se cabra.

— Je refuse catégoriquement de prendre la place d'un homme dans un canot simplement parce que je suis une femme.

— Madame, voyez-vous autour de vous un seul journaliste qui pourrait raconter au monde votre geste courageux, bien que parfaitement futile? Et même s'il y en avait un, il sera bientôt disparu, et son carnet de notes avec lui. Les grands titres que vous recherchez ne seront jamais publiés. Vous vous condamnez à mort – et pas seulement vous, mais votre fille aussi – pour absolument rien.

– Prenez Sophie! Elle va survivre, elle, et elle va raconter mon histoire!

– Il n'en est pas question! protesta Sophie, les dents serrées. Si vous me faites ça, mère, je vais tout mettre en œuvre pour que personne ne sache jamais que vous étiez prête à renoncer à la vie sans raison valable!

Mais sa mère ne voulait rien entendre.

– Que dirait le monde si Amelia Bronson devait être rescapée uniquement parce qu'elle a profité de son sexe pour prendre place dans un canot de sauvetage avant un homme âgé et handicapé – peut-être même un infirme comme ce M. Masterson?

– Masterson?! s'exclama Sophie, horrifiée. Gardez votre sympathie pour quelqu'un qui la mérite! Savez-vous qui c'est, ce monstre? C'est Jack l'Éventreur, voilà qui c'est!

Le capitaine jeta un regard sévère à Mme Bronson.

– Voilà que votre fille perd la tête, à cause de votre obstination. Jack l'Éventreur, vraiment!

– D'accord, je vais y aller! s'écria soudain Sophie. Je vais monter dans ce canot! Et je vais raconter à tout le monde comment vous vous êtes sacrifiée pour la cause! Mais au moins, venez avec moi, pour qu'on puisse se dire adieu!

– M. Lightoller est en train de charger le canot 4 sur la promenade du pont A, à bâbord, annonça le capitaine d'une voix brève. Bonne chance!

Bras dessus, bras dessous, la mère et la fille Bronson descendirent vers le pont A.

– Je comprends à quel point c'est difficile pour toi, dit Amelia à sa fille d'une voix qui se voulait rassurante. Merci de te rendre compte que je ne peux pas faire autrement.

– De rien.

Puisqu'elle s'apprêtait à faire ses adieux à sa mère, Sophie était incapable de la regarder dans les yeux.

– Et tu vas devoir expliquer ça à ton père, ajouta Mme Bronson. Mais il va comprendre, bien sûr. Après 22 ans de mariage, il me connaît!

Les deux femmes voyaient déjà la foule rassemblée sur la promenade fermée. Une fenêtre avait été ouverte, et le canot était suspendu à l'extérieur. Lightoller, en équilibre sur l'appui de la fenêtre, aidait les femmes à enjamber le plat-bord du canot. Lorsque les Bronson se joignirent au groupe, Sophie se fit la réflexion que, dans d'autres circonstances, elle aurait été impressionnée par l'échantillon qui représentait ici la haute société de la côte Est américaine – des gens portant des noms comme Astor, Thayer, Ryerson et Carter.

Des chaises avaient été installées comme marchepieds puisque la fenêtre était assez haute. Perché sur une de ces chaises, le colonel Astor lui-même aidait sa jeune épouse à monter dans le canot 4. Lorsqu'elle fut installée sur un banc, le célèbre homme d'affaires se tourna vers M. Lightoller.

– Puis-je l'accompagner, monsieur? Dans son état...

– Aucun homme n'est autorisé à partir tant que toutes les femmes n'auront pas pris place dans les canots, monsieur, répondit le deuxième officier, imperturbable.

Le colonel Astor recula sans protester. Les multimillionnaires étaient tous restés en retrait tandis que leurs épouses et leurs enfants embarquaient un à un dans les canots qui devaient les amener en lieu sûr. Bien des gens avaient les larmes aux yeux, et les adieux étaient parfois déchirants, mais tout le monde se montrait calme et digne.

De son perchoir sur l'appui de la fenêtre, Lightoller aperçut les deux Bronson et leur fit signe d'avancer.

– Je n'y vais pas, lui annonça la suffragette. Mais prenez ma fille, s'il vous plaît.

Sophie grimpa sur une des chaises, toujours accrochée à sa mère.

– Embrassez-moi une dernière fois, mère! J'ai tellement peur!

– Sois forte, ma chère petite fille!

Mme Bronson grimpa à son tour sur la chaise et prit sa fille dans ses bras.

Le geste de Sophie fut délibéré, et rapide comme l'éclair. Elle enlaça sa mère et, d'un petit coup de hanche, elle profita du léger déséquilibre dans lequel se trouvait Amelia Bronson pour la soulever de sa chaise et la faire passer par la fenêtre. Au milieu des cris de surprise, la suffragette déboula dans le canot déjà bien rempli.

CHAPITRE DIX

RMS *TITANIC*
Lundi 15 avril 1912, 2 h

Le deuxième officier Lightoller jeta à Sophie un regard à la fois étonné et admiratif.

— Ça, mademoiselle, c'est peut-être le plus beau geste auquel nous allons assister ce soir!

Il lui tendit le bras pour la faire passer à son tour par la fenêtre, mais la voix du marin responsable du canot s'éleva d'en bas.

— Le canot est plein, monsieur Lightoller. Faites-le descendre!

Lightoller donna l'ordre demandé et se tourna vers Sophie.

— Il va falloir vous trouver une place ailleurs. Suivez-moi.

Les hurlements d'Amelia Bronson semblaient à peine humains.

— Tout va bien, mère! lança Sophie. Il y a un autre canot! À bientôt!

Mais elle doutait fort que sa mère l'ait entendue à

travers ses hurlements.

Passant à côté de certains des hommes les plus riches du monde, Sophie suivit Lightoller jusqu'au pont des embarcations. Tout autour, des câbles pendaient des bossoirs vides. À l'avant, du côté bâbord, le dernier canot était en train de descendre.

– Arrêtez! cria Lightoller, qui se précipita vers le canot en tirant Sophie par le bras. J'ai encore quelqu'un!

Ils baissèrent les yeux vers le canot de bois. Il était plein, et même surchargé. Il n'y avait plus un centimètre de libre. Lightoller ne dit rien. Il n'y avait rien à dire. Sophie avait sauvé la vie de sa mère, mais il semblait bien que ce soit aux dépens de la sienne.

Un gros visage rond, encadré d'imposantes rouflaquettes, se leva vers eux.

– Arrêtez tout! lança la voix familière du major Mountjoy. Je laisse ma place à cette jeune dame! Remontez-nous tout de suite!

Mais ses cris échappèrent aux marins qui s'occupaient des manœuvres, et le canot poursuivit sa descente. Le major, au bord de l'hystérie, se leva soudainement et tenta de remonter à bord du *Titanic*. Déséquilibré par le poids de son imposant passager, le canot s'éloigna brusquement de la coque avant de s'en rapprocher tout aussi brusquement. Deux hommes se levèrent à leur tour et forcèrent le major à se rasseoir. Sophie n'entendit pas ce qu'ils disaient, mais il était clair qu'ils le réprimandaient tandis que le canot continuait de descendre.

Malgré la terrible situation dans laquelle elle se trouvait, Sophie ne put retenir un petit rire. Même en plein naufrage, la major Rouflaquettes ne pouvait pas s'empêcher de faire le clown!

Si seulement Julia était ici pour voir ça! pensa-t-elle.

Elle se mordit la lèvre. Heureusement que Juliana n'y était pas! Elle espérait de toutes ses forces que son amie était en sécurité dans un canot.

Elle jeta un regard inquiet vers le deuxième officier.

— Y a-t-il encore de l'espoir, monsieur Lightoller?

— Restez avec moi, ordonna Lightoller en désignant le toit des quartiers des officiers.

Il y avait encore deux Engelhardt repliables, et un petit groupe de passagers et de membres d'équipage s'affairaient à les détacher de leurs amarres. Ils étaient tellement loin des bossoirs qu'il était à peu près impossible de les mettre à la mer, mais Lightoller avait une autre idée.

— Nous réussirons peut-être à les mettre à flot quand la proue sera submergée.

Dans le chaos qui régnait, Lightoller prit immédiatement le commandement du groupe qui tâchait de dégager le canot B. L'enchevêtrement de cordages fut démêlé, et les hommes se mirent en place pour soulever le canot du toit de la cabine. Il était lourd et encombrant, et la pente du pont compliquait encore l'opération. Sophie courut pour contribuer à la tâche dans la mesure de ses faibles moyens. Elle avait l'impression de travailler en montant une côte abrupte, sur le flanc d'une montagne qui – comme elle le constata en jetant un coup d'œil de côté – allait bientôt se retrouver sous l'eau. Le gaillard d'avant était maintenant complètement submergé, et les vagues léchaient doucement la superstructure à un mètre à peine au-dessous d'eux. Ils allaient patauger dans l'eau à leur tour dans quelques minutes, peut-être moins.

– Ho, hisse! ordonna Lightoller.

Au prix d'un effort surhumain, le canot fut soulevé du toit. Mais l'homme qui se trouvait à côté de Sophie perdit pied, sur la pente glissante, déséquilibrant la lourde embarcation. L'Engelhardt dégringola du toit de la cabine et alla s'écraser sur le pont, à l'envers.

Sophie recula vivement, évitant de justesse de se faire broyer les jambes par le canot retourné. En se remettant à la tâche, elle distingua du coin de l'œil, à la proue du canot, un marin vêtu d'une combinaison trop grande qui dissimulait mal sa frêle ossature.

Elle fut submergée de joie en apercevant le visage familier.

– Paddy!

Lightoller reconnut aussitôt le nom du passager clandestin qui lui glissait des mains depuis plusieurs jours. Oubliant tout le reste, il sortit son pistolet et visa le garçon.

La réaction de Paddy fut instantanée. Il se jeta par terre sur le pont juste au moment où le deuxième officier appuyait sur la gâchette. La balle passa en sifflant au-dessus de sa tête et alla se loger dans la base de la première cheminée.

– Non!

Sans réfléchir, Sophie se jeta sur Lightoller et se mit à le marteler de coups de poing. Momentanément paralysé par la surprise, l'officier ne bougeait pas.

– Vous ne pouvez pas le laisser tranquille? sanglota la jeune fille, furieuse. On va tous être morts dans une minute, de toute manière!

Il y avait quelques heures à peine, elle s'était battue contre Jack l'Éventreur. Et voilà que c'était au tour de cet officier. Sur le moment, elle n'aurait pas su dire lequel de ces deux hommes elle détestait le plus.

Lightoller finit par se dégager, mais il restait pétrifié, l'air hagard. C'était la première fois que Sophie voyait sur ses traits sévères autre chose que de l'assurance et de la détermination – comme si Charles Herbert Lightoller ne s'était jamais retrouvé jusque-là dans une situation qui n'était pas décrite en détail dans le manuel de règlements de la Marine marchande de Sa Majesté.

Et puis, tandis que les deux adversaires étaient toujours immobiles, comme figés dans le temps, le pont plongea brusquement vers le bas, jetant tout le monde par terre. Sophie se retrouva dans l'eau avant même de toucher une surface solide. Ce n'était pas une vague à proprement parler, mais plutôt la mer qui remplissait tout l'espace où s'élevaient la timonerie et les quartiers des officiers quelques secondes auparavant.

En un instant, ils se retrouvèrent dans l'eau, balayés du pont en même temps que les deux canots repliables, l'un à l'endroit et l'autre – le B – toujours à l'envers.

Rien n'aurait pu préparer Sophie au froid intense qui l'attendait. Elle eut l'impression que des aiguilles s'enfonçaient profondément dans chaque centimètre de son corps. Elle se mit à haleter de manière incontrôlable, au rythme de son cœur emballé. Du bout des doigts jusqu'au bout des orteils, ses muscles se contractèrent douloureusement, comme paralysés. Quand l'eau se referma au-dessus de sa tête, elle sentit la panique la gagner, mais une poussée d'adrénaline libéra ses muscles de leur prison glacée, et le gilet de sauvetage la fit remonter à la surface. Elle revint à l'air libre juste à temps pour voir des gens sauter du pont du navire, maintenant incliné à angle aigu, pour tenter d'atterrir sur un des deux canots repliables. Quelques chanceux réussirent leur coup. Les autres barbotaient dans l'eau noire, trop abrutis par le froid glacial pour tenter de se tirer de là. Terrifiée par les cris d'agonie qui montaient autour d'elle, Sophie se dit qu'elle aurait sûrement crié elle aussi si seulement elle avait pu trouver assez de souffle.

Elle essaya de nager, en agitant frénétiquement les bras, gênée par son encombrant gilet de sauvetage et ses vêtements trempés. Elle s'aperçut avec horreur que les canots repliables s'éloignaient, propulsés par la vague qu'avait créée l'immersion de la proue. Elle eut beau essayer, elle fut totalement incapable de crier au secours.

Tant pis, se dit-elle.

Les canots étaient sa seule chance. Personne ne pouvait résister longtemps dans une eau aussi froide. Elle devait se préparer à l'inéluctable : ses chances de survie étaient à peu près nulles.

Elle s'arrêta et détourna son regard des secours qui ne viendraient pas. Elle aperçut derrière elle une longue tige mince qui sortait de l'océan, en diagonale. Était-ce une hallucination?

Non! C'était le mât de misaine!

Elle se remit à nager avec l'énergie du désespoir. Les yeux fermés, concentrée sous l'effort, elle se frappa la tête sur la hampe de bois. Elle l'entoura de ses bras et se hissa enfin loin des griffes meurtrières de l'océan.

CHAPITRE ONZE

RMS *TITANIC*
LUNDI 15 AVRIL 1912, 2 H 10

Quand la vague arriva, Paddy était couché sur le pont, plus préoccupé par le pistolet du deuxième officier que par le danger susceptible de venir de la mer. Frappé de plein fouet par le froid pénétrant, il se mit à nager par pur instinct, battant furieusement des bras et des jambes pour tenter de se réchauffer. Après quelques secondes, il fut arrêté par une force irrésistible qui l'attirait vers le fond. L'eau salée s'engouffrait dans le ventilateur situé à la base de la cheminée, et il était littéralement aspiré vers le bas. Il agita les bras dans un effort désespéré pour combattre cette succion, mais la force qui l'entraînait était trop grande et il continuait à descendre. Soudain, il frappa la grille qui couvrait la manche à air. Incapable de retenir son souffle plus longtemps sous la force de l'impact, il avala de l'eau glacée et le goût du sel lui leva le cœur.

Il eut beau se débattre pour tenter de se libérer, la succion était trop forte et le maintenait collé à la grille.

Je vais me noyer, pensa-t-il.

Mais ce qu'il ressentait en réalité, c'était la privation d'oxygène du fait qu'il n'était pas en train de se noyer, justement, et qu'il se forçait à ne pas respirer pour éviter de laisser l'eau pénétrer dans son corps. De toute manière, cela n'avait plus guère d'importance puisqu'il allait mourir bientôt.

Dans les entrailles du *Titanic*, une chaudière inondée laissa échapper un énorme nuage de vapeur brûlante. Paddy sentit la bouffée de chaleur, suivie d'un puissant maelström de bulles. Il fut projeté loin de la grille, propulsé dans l'eau comme une torpille. Il creva la surface et aspira bruyamment quelques bouffées d'air glacial. Après la brûlure de la vapeur, il était presque reconnaissant d'avoir de nouveau froid.

Lorsqu'il osa enfin ouvrir ses yeux irrités, il fut étonné de se trouver à quelques mètres seulement du canot B, toujours renversé. La coque était couverte d'hommes trempés, grelottants et gémissants. Paddy se dirigea vers eux et leur tendit une main.

— Aidez-moi! parvint-il à articuler.

Une chaussure mouillée le repoussa.

— Personne ne peut t'aider ici.

La voix n'était ni fâchée, ni cruelle, seulement épuisée. Terriblement épuisée.

— Désolé, mon garçon, mais on ne peut pas te prendre, dit un autre homme, la moustache remplie de cristaux de glace brillants. Tu nous ferais chavirer, et ça nous tuerait tous.

Paddy empoigna un des taquets du canot. Il ne lui restait plus qu'à rester accroché là, à côté de la frêle embarcation, en attendant que la mer glaciale le prive du peu de forces vitales qu'il lui restait encore.

Alfie, éberlué, vit la mer s'engouffrer dans la timonerie et les quartiers de l'équipage, puis envahir le pont des embarcations. Rien ne semblait pouvoir arrêter le flot d'eau glacée. Il entendit ensuite des craquements. L'immense verrière qui surmontait le grand escalier se brisa sous le poids de l'eau, dans un bruit de tonnerre, et l'océan Atlantique pénétra dans le cœur opulent du *Titanic*.

Jusque-là, les passagers restés sur les étages supérieurs du navire en détresse étaient demeurés relativement calmes. Mais ils ne l'étaient plus. C'était la panique totale. Plus de 1 500 personnes se trouvaient encore à bord. La grande majorité d'entre elles se précipitèrent vers l'arrière, dans une course affolée qui ébranla le pont tout autant que l'immersion de la proue.

Les membres d'équipage couraient aux côtés des passagers. Leurs tâches accomplies, ils avaient été libérés par leur capitaine. Quelques-uns d'entre eux jetaient des chaises longues et d'autres meubles par-dessus bord, n'importe quel objet pouvant offrir un répit à un nageur.

Certaines personnes sautèrent même à l'eau dans

l'espoir d'être ramassées par un des canots de sauvetage. À moins qu'elles aient eu l'intention de nager le plus loin possible, pour éviter de se faire aspirer vers le bas quand le navire effectuerait son plongeon final dans les profondeurs sombres de l'océan? Mais la plupart ne pensaient probablement à rien du tout.

Alfie, craignant de se faire piétiner, descendit vers le pont A et poursuivit sa course le long de la promenade fermée. Il rejoignit bientôt la foule des gens qui se dirigeaient vers le pont du coffre, à l'arrière. La poupe était maintenant tellement relevée qu'un homme marchait littéralement sur un mur, comme une mouche. Des centaines de personnes affluaient sur le pont de dunette, dans l'espoir d'atteindre le point du navire qui semblait le plus éloigné de l'océan menaçant. Il n'y avait plus d'instructions lancées d'une voix sonore, plus de conversations rationnelles. On n'entendait que des cris. De seconde en seconde, la poupe s'élevait toujours plus haut. Les 20 derniers mètres vers la balustrade du pont de dunette ressemblaient à de l'alpinisme en haute montagne.

Alfie laissa son regard plonger sur toute la longueur du *Titanic*, encore illuminé de tous ses feux, et il sut que la fin était très proche.

Sophie, ankylosée et exténuée, avait beau grimper de plus en plus haut sur le mât de misaine, l'eau était toujours aussi proche. Plus la proue s'enfonçait, plus le mât s'enfonçait aussi. Mais la jeune fille savait qu'elle devait tenir le coup le plus longtemps possible. Ce perchoir, aussi froid, inconfortable et précaire soit-il, était synonyme de survie.

Chaque seconde que tu passes dans cette eau froide te rapproche de la mort.

Sa seule consolation était d'avoir réussi à sauver sa mère, même si la suffragette aurait bien voulu se sacrifier pour sa cause. Au moins, son père ne resterait pas seul.

Un craquement sonore retentit au-dessus de sa tête. La gigantesque cheminée avant se détacha du navire et s'écroula dans l'océan. En retenant une exclamation de surprise, Sophie ferma les yeux et attendit, sûre qu'elle allait se faire écraser par cette masse 10 000 fois plus lourde qu'elle. Elle sentit un souffle chaud lorsque la cheminée passa à côté d'elle, accrochant au passage les haubans du mât sur lequel elle s'était réfugiée. Elle fut jetée à la mer et atterrit dans l'eau glacée une fraction de seconde avant la cheminée. L'impact provoqua une vague qui projeta la jeune fille dans les airs. Quand elle se retrouva à nouveau dans l'eau, elle était prise dans le remous créé par la cheminée qui s'enfonçait. Son gilet de sauvetage avait beau l'aider à flotter, cela ne suffisait pas à contrer la poussée inexorable de l'eau. Sophie Bronson s'enfonça profondément sous la surface de l'océan.

☆

Vu du canot, le naufrage du *Titanic* offrait un spectacle à la fois terrifiant et magnifique. La mer était tellement calme, la nuit tellement noire que le navire jetait une lumière irréelle. C'était horrible à regarder, et pourtant, personne ne pouvait détourner les yeux.

Juliana n'avait pas arrêté de sangloter depuis que leur canot s'était éloigné du navire agonisant.

Son seul réconfort venait de la fillette, dans ses bras, qui avait enfin fini par s'endormir. L'enfant ne verrait pas cette scène terrible et n'en garderait pas le souvenir qui allait sans doute tous les hanter pour le restant de leurs jours.

Lentement, la poupe continua à s'élever jusqu'à ce que le navire se retrouve à peu près à la verticale.

— Il est presque aussi grand que la tour Eiffel, murmura une femme. Nous l'avons vue à Paris.

Puis la femme ajouta d'une voix brisée :

— C'était notre voyage de noces, vous savez...

— Mon père est à bord, chuchota Juliana d'une voix à peine audible.

Et qui d'autre? Sophie? Alfie? Paddy? Elle se sentit coupable de penser seulement aux gens qu'elle aimait. Il y en avait des centaines qui étaient restés sur le navire, peut-être même plus d'un millier!

Soudain, un grondement sourd, de plus en plus intense, leur parvint du navire en train de couler.

— Oh, mon Dieu! hurla une femme. Il a explosé!

☆

À l'extrémité de la poupe, Alfie se cramponnait au bastingage tandis que le pont, sous ses pieds, prenait un angle de plus en plus prononcé. Partout autour de lui, des gens glissaient et tombaient en hurlant. Certains tentaient de sauter à l'eau, mais, de cette hauteur, c'était la mort assurée. Il avait vu bien des choses épouvantables au cours des dernières heures, y compris une tentative de meurtre par Jack l'Éventreur en personne. Mais ceci était bien plus terrible encore.

Le pont était maintenant presque à la verticale, et Alfie sentit ses pieds quitter le navire. La pensée qu'il était suspendu à 45 mètres dans les airs lui donna le vertige. Ses mains étaient trop gelées pour lui permettre de s'agripper encore longtemps, et ses forces diminuaient rapidement. Il se hissa par-dessus la balustrade, de manière à pouvoir s'y étendre quand elle se retrouverait à l'horizontale.

Il sentit le bruit avant de l'entendre : un énorme grondement sourd qui semblait émaner du cœur même du *Titanic* et qui se réverbérait jusqu'à lui, comme si le grand navire protestait contre son triste sort. Alfie se rappela ce que son père lui avait expliqué au sujet des gigantesques moteurs à piston et des colossales chaudières de fer : ils n'étaient pas fixés au navire, et seul leur poids les empêchait de bouger. Et maintenant, tout ce matériel était en train de débouler à travers les cloisons et les compartiments, détruisant tout sur son passage. En pensant à son père, Alfie eut l'impression de recevoir un coup de poing en plein cœur. Alfie ne saurait jamais exactement à quel moment John Huggins était mort. Mais le chauffeur n'avait certainement pas pu survivre au violent bouleversement qui secouait en ce moment les entrailles du *Titanic*.

« Tant que tu verras de la lumière, avait dit John Huggins, ça voudra dire que je suis encore là. »

La lumière avait brillé sans interruption tout au long de cette nuit de cauchemar. Mais maintenant, elle clignota une fois, puis s'éteignit pour de bon. Un grincement discordant s'éleva au-dessus du vacarme, et l'étrave tout entière fut arrachée du reste du navire, qui se brisa en deux. Toujours agrippé à la balustrade, Alfie se sentit descendre brusquement tandis que la poupe, jusque-là à la verticale, se retrouvait presque à l'horizontale. Dans un sinistre concert de hurlements, des gens dégringolaient du navire comme des feuilles d'automne poussées par le vent. Alfie remonta aussitôt, de retour à la verticale pendant que la mer s'engouffrait dans la brèche béante ouverte au milieu du *Titanic*. Accroché à son perchoir, tremblant de froid, à bout de souffle, il se demandait quand s'amorcerait la descente finale.

Il n'eut pas à attendre longtemps. Dans un grondement sourd, comme un râle profond, le *Titanic* entama son plongeon fatal. Le mouvement était si parfaitement vertical qu'Alfie réussit à se relever sur les plaques d'acier arrondies de la poupe elle-même, en attendant de toucher l'océan. Il éprouvait un peu la même sensation que pendant une descente dans un des ascenseurs du navire.

Étonné par le calme qui régnait après l'hystérie des dernières heures, il attendit tout simplement que l'océan se présente à lui et il s'avança dans l'eau.

À quelques centimètres derrière lui, avec à peine un faible gargouillis, le navire le plus majestueux que la Terre ait connu s'enfonça dans les flots et disparut à jamais.

CHAPITRE DOUZE

LATITUDE 41° N, LONGITUDE 50° O
LUNDI 15 AVRIL 1912, 2 H 20

Alfie s'attendait à se faire aspirer vers le bas par le navire qui s'enfonçait, alors qu'en fait, il avait à peine les cheveux mouillés. Mais le sentiment de maîtriser la situation le quitta à l'instant même où il se retrouva dans l'eau. Le froid lui parut presque brûlant, comme s'il avait été plongé dans les flammes plutôt que dans l'océan. Un cri lui échappa, et il fut étonné d'avoir pu produire un son aussi sinistre. Il entendait autour de lui des gémissements tout aussi angoissés – ni forts, ni stridents, mais constants et pénétrants. Ils s'élevaient de l'océan et se fondaient dans une irréelle symphonie de souffrance.

Brusquement, Alfie se sentit attiré sous l'eau par une force qui faisait pression sur ses épaules. Étouffé par l'eau de mer, il se retourna et vit un homme d'âge moyen qui s'accrochait à lui, désespéré.

– À l'aide! Au secours!

Alfie remonta à la surface en crachotant.

– Arrêtez! On va se noyer tous les deux!

Mais l'homme était hystérique, et les dents lui claquaient dans la bouche à cause du froid.

– Je t'en supplie!

Il s'agrippa de nouveau au jeune steward et passa un bras autour de son cou.

Alfie, dont la respiration se faisait de plus en plus sifflante, fit la seule chose sensée à faire dans les circonstances. Il repoussa l'homme de toutes ses forces. Quand le visage terrifié s'éloigna de lui, Alfie se rendit compte tout à coup que le pauvre homme ne portait pas de gilet de sauvetage. Il coula comme une pierre et ne refit pas surface.

Est-ce que je l'ai tué? Ou empêché de me tuer?

Il avait le cerveau trop gelé pour se concentrer sur la question. Il ne pouvait que s'éloigner à la nage. Et prier.

La fin du *Titanic* avait quelque chose d'irréel. En un instant, le plus grand objet mobile jamais construit de main d'homme, qui brillait jusque-là de tous ses feux au-dessus de l'Atlantique Nord, avait été englouti pour toujours, comme s'il n'avait jamais existé. Juliana, incrédule, fixait l'endroit où il venait de disparaître – et où la mer avait aussitôt repris l'apparence d'une vitre parfaitement lisse.

Dans la nuit froide, la brise leur apportait le concert des lamentations, comme une musique jouée par des âmes tourmentées.

Les occupants du canot 13 écoutaient, incrédules.

– Mon Dieu! s'exclama une femme en essayant de boucher les oreilles de ses enfants.

– Ce sont les gens dans l'eau! murmura Juliana, horrifiée. Ils sont en train de mourir.

– Il y en a des centaines! ajouta quelqu'un. Pourquoi ne sont-ils pas dans des canots?

– Je ne sais pas, madame, dit le marin qui était aux commandes. Je suis juste un assistant du commissaire de bord. Je n'ai aucune idée du nombre de canots qu'il y avait – ou qu'il n'y avait pas.

– Il faut retourner là-bas! lança vivement Juliana. Il faut aller chercher le plus de malheureux possible!

– Mais le canot est déjà plein à craquer, mademoiselle! protesta le marin, étonné. On ne pourrait pas y ajouter un cure-dent sans risquer notre vie!

La voix de Juliana s'éleva au-dessus des gémissements des malheureux.

– Ce sont nos pères, nos frères, nos amis qui sont là! Et même nos maris, pour certaines d'entre nous!

– Il y a des canots qui ne sont pas pleins, souligna une passagère de l'entrepont. Ils vont certainement retourner les chercher.

Juliana scruta la nuit de velours noir d'un œil désespéré. Où étaient-ils, ces canots qui retournaient chercher des survivants?

Où?

☆

Alfie nageait toujours, comme s'il lui suffisait de travailler assez fort pour réussir à retourner en Angleterre. Le froid était inimaginable. Comment son corps aurait-il pu s'habituer à une telle sensation? Chaque minute était plus glaciale, plus douloureuse, plus horrible que la précédente, dans une lente détérioration qui ne pouvait déboucher que sur la mort. Le jeune steward était déjà passé à côté d'une foule de gens inconscients ou morts et il avait même buté sur plusieurs d'entre eux. Le souvenir de cette expérience – les visages bleuis par le froid et les regards inexpressifs, sans vie – ne le quitterait jamais, il en était sûr.

Il ne fut donc pas étonné quand il buta de nouveau sur quelque chose. Mais l'objet qu'il avait frappé était beaucoup plus gros qu'un corps, et plus dur. Il plissa les yeux pour tenter d'y voir plus clair, dans la nuit éclairée seulement par la lueur des étoiles. Un énorme meuble flottait devant lui – un meuble de bois sombre, avec des tablettes et de petits compartiments. Il tira sur une poignée, et un tiroir s'ouvrit devant lui, laissant échapper dans l'eau noire des bougies d'anniversaire multicolores.

Une armoire provenant d'une des cuisines du navire! Elle avait dû tomber à l'eau quand le *Titanic* s'était brisé en deux.

Pour Alfie, trempé jusqu'aux os, épuisé et frigorifié, c'était une chance d'échapper à la noyade.

Mais, lorsqu'il tenta de se hisser sur le meuble, il se rendit compte à quel point il était affaibli. Au prix d'un formidable effort de volonté, il se traîna sur la surface de la grande armoire de cuisine. En s'installant sur les tablettes, il entendit un gargouillis – c'était l'eau de mer qui pénétrait dans les compartiments.

Non, je ne coulerai pas deux fois! se jura-t-il, presque en colère à la perspective de se retrouver de nouveau dans l'eau. Il se mit à enlever tous les tiroirs, toutes les tablettes, tous les couvercles pour se débarrasser de ce poids inutile. Les conserves, les sacs de farine, les épices exotiques, le sucre glace, le riz sauvage – il jeta tout dans l'Atlantique. Il ne garda qu'un pot de verre rempli de bonbons français. Les bonbons étaient une source d'énergie rapide et, au pire, le pot pourrait lui servir d'écope.

Quand il eut enfin terminé sa tâche, essoufflé, trempé jusqu'aux os dans le froid intense, il s'étendit pour se reposer. Curieusement, il se sentait un peu réchauffé.

Il resta ainsi quelques minutes, à demi conscient, en se demandant d'où venait le sifflement qu'il entendait au fond de sa poitrine. Quand il entendit les appels à l'aide, il était tellement engourdi qu'il lui fallut quelques secondes pour se rappeler où il se trouvait. La mémoire lui revint lentement, et il ne fut sûr que d'une chose : si le destin lui en donnait la chance, il allait sauver autant de gens qu'il lui serait humainement possible de le faire.

Il ne distinguait pas la personne qui criait, mais il voyait clairement ses bras qui battaient l'air en faisant gicler de grandes gerbes d'eau.

– Par ici! lança-t-il.

Il se releva péniblement et tendit les mains vers le nageur en difficulté.

Il fut étonné par la force des mains qui s'accrochèrent à ses poignets. L'homme se souleva en gémissant, et l'armoire gîta dangereusement.

– Doucement, protesta Alfie. Vous allez nous faire chavirer.

Le nageur se calma et se hissa à son tour sur l'armoire de bois. Alfie le ramena au centre, rétablit l'équilibre du meuble et se rassit, à bout de forces.

Son nouveau passager, tout aussi exténué, leva les yeux pour remercier son sauveteur.

Alfie le regarda, incrédule. C'était Masterson.

Jack l'Éventreur.

La fatigue qui voilait les yeux de Masterson s'évanouit brusquement, remplacée par une rage folle. L'infirme réussit à trouver suffisamment de force, malgré ses jambes paralysées, pour se jeter sur Alfie. Un bras puissant se referma sur le torse du jeune steward, pour l'attirer vers le bord du radeau improvisé. L'armoire gîta encore plus, et ses deux occupants furent éclaboussés d'eau de mer.

Alfie répliqua en martelant à deux mains les oreilles du vieil homme. Masterson lança un cri de douleur, mais resserra sa prise. Le souffle coupé, dans une tentative désespérée pour se dégager de l'étreinte qui l'étouffait,

Alfie plongea deux doigts dans les yeux de son adversaire. Masterson retomba avec un hurlement de fureur. L'armoire gîta et fut submergée par une nouvelle vague glacée. Alfie, chaussé de bottes, bondit; il pataugeait dans près de 10 centimètres d'eau. L'armoire s'enfonça encore plus sous l'assaut d'une vague et du même coup perdit de la flottabilité.

— Arrêtez, vieux fou! aboya Alfie. Vous allez peut-être me tuer, mais vous allez couler en même temps que moi!

— Je ne te permettrai pas de contrecarrer mes projets, jeune homme! cracha Masterson.

— Si on chavire, on n'aura plus besoin de faire des projets ni l'un, ni l'autre!

Quelque chose, dans les paroles d'Alfie, sembla pénétrer finalement jusqu'au cerveau embrouillé du meurtrier. Masterson s'écarta lentement. Alfie s'éloigna lui aussi, tout doucement, pour maintenir leur frêle esquif en équilibre.

Il savait qu'à la première occasion, la bête immonde qu'il avait sauvée bondirait à nouveau sur lui. Masterson ne pouvait pas le laisser vivre, puisqu'Alfie connaissait son terrible secret. La seule chose qui gardait le jeune steward en vie, c'était la précarité de leur radeau de sauvetage. Le tueur ne pouvait pas récidiver sans sceller son propre sort par la même occasion. Dans cette position délicate, toute attaque – par l'un ou l'autre des combattants – aurait été non seulement un meurtre, mais aussi un suicide.

Je devrais le faire, se dit soudain Alfie. *Ce serait une bonne chose. Je pourrais protéger les gens de New York contre Jack l'Éventreur! Ça ne fait peut-être pas trop mal quand on se noie...*

Mais il ne pouvait pas s'y résoudre – du moins tant qu'il lui restait une toute petite chance d'être rescapé. Il n'était rien du tout, et il n'avait plus personne au monde maintenant que son père avait disparu. Mais la vie était précieuse, même s'il n'avait qu'un mince espoir de s'en sortir. Il n'avait pas le courage de faire ce qu'il aurait dû faire.

Qui sait combien de jeunes Américaines seraient en danger à cause de la lâcheté d'un pauvre petit Anglais en cette nuit d'horreur?

Il venait de conclure une trêve avec Jack l'Éventreur. Un pacte avec le diable.

CHAPITRE TREIZE

LATITUDE 41° N, LONGITUDE 50° O
LUNDI 15 AVRIL 1912, 2 H 25

Paddy, accroché sur le flanc du canot retourné, se demandait pourquoi il se donnait toute cette peine.

Il devait y avoir une trentaine d'hommes à genoux, assis ou couchés sur la coque du canot. Il n'y restait même plus de place pour une mouche, et encore moins pour un petit Irlandais comme lui, fût-il en train de mourir.

C'était tout ce qu'il méritait, d'ailleurs, puisqu'il avait entraîné la mort de Daniel par son insouciance. Eh bien, il irait bientôt rejoindre son ami. L'eau glacée dans laquelle il était plongé jusqu'aux épaules l'engourdissait tellement qu'il n'était même pas sûr que ses jambes soient encore là. Il ne sentait plus que ses mains, agrippées désespérément au taquet du canot. Et s'il les sentait, c'est parce qu'elles lui faisaient mal. Personne ne pouvait survivre longtemps comme ça. La nuit était remplie des cris et des gémissements de 1 500 personnes flottant dans leurs gilets de sauvetage. Mais, de minute en minute, le chœur des désespérés diminuait d'intensité à mesure que leurs voix s'éteignaient.

Ils sont en train de mourir. Et moi aussi.

À quoi pouvait bien servir une telle torture? À prolonger ses souffrances encore quelques minutes?

Je ferais aussi bien de tout lâcher.

Paddy était de toute manière un mort en sursis depuis qu'il était parti à pied de chez lui, dans le comté d'Antrim, pour trouver refuge dans les rues cruelles de Belfast. Eh bien, le sursis était terminé. Ce n'était que justice.

L'impact, venu d'en haut, le détacha du canot et le fit couler sous l'eau. Il remonta aussitôt à la surface, porté par son gilet de sauvetage, et se retrouva nez à nez avec l'homme à la moustache qui l'avait empêché de grimper sur le canot retourné. Le pauvre malheureux était déjà raide, les yeux vides, mort de froid.

Cette immersion brutale dans l'eau glacée sembla rendre à son cerveau ses pleines capacités. Un homme mort, cela voulait dire un espace libre sur le dessus du canot! Paddy n'aimait pas tellement l'idée de profiter du malheur des autres.

Mais s'il est possible de sauver quelqu'un, aussi bien que ça soit moi.

L'instant d'avant, il était à bout de forces. Mais maintenant, il avait retrouvé toute son énergie pour se hisser sur la coque convexe. Il y avait tellement de monde qu'il dut ramper sur les jambes de quelques hommes, mais personne ne protesta. Personne n'en avait la force.

Il se trouva une place, non pas par choix, mais parce

qu'il ne pouvait pas aller plus loin. Incapable de s'étendre, parmi les corps entassés, il se contenta de s'échouer là comme une méduse, coincé entre deux hommes.

— Tiens-toi tranquille, ordonna brusquement l'homme à sa gauche. Il n'en faudrait pas beaucoup pour nous faire chavirer!

Cette voix... Malgré l'état de stupeur dans lequel il se trouvait, Paddy la reconnut instantanément. Il leva les yeux, désespéré, vers le visage impassible de M. Lightoller.

L'homme l'avait reconnu lui aussi.

— Toi! fit-il, sourcils froncés.

Instinctivement, Paddy lorgna vers les mains du deuxième officier, puis vers ses poches, à la recherche de son pistolet. Il ne vit rien, et de toute manière, même si Lightoller avait toujours son arme, elle était sûrement trop mouillée pour faire feu. Mais Paddy savait très bien que l'homme pouvait facilement se débarrasser du passager clandestin qu'il détestait tant. Il n'aurait qu'à le jeter par-dessus bord. Ce serait tout aussi efficace que de lui mettre une balle dans la tête.

— Eh bien, vous y êtes arrivé, monsieur, lança Paddy, la voix éraillée. Vous avez réussi à me faire quitter votre précieux *Titanic*. J'espère que vous êtes content.

Lightoller le fixa un long moment, abasourdi, puis il hocha la tête brusquement.

— Tu n'es plus un passager clandestin, mon garçon, annonça-t-il. Le *Titanic* a disparu, et tu as droit à la vie autant que n'importe qui d'autre. Et puis, on dirait bien que tu as de la chance, et ce soir, on en a tous besoin. Tu peux dire à ton ange gardien de nous envoyer un navire, et en vitesse, sans quoi il n'y aura plus rien à sauver – à part des cadavres.

Paddy eut un frisson. Si c'était ça, la chance, il avait pitié des pauvres gens qui n'en avaient pas...

Sophie nageait depuis une éternité, convaincue que cette activité frénétique était la seule chose qui la gardait en vie dans l'eau glacée. Elle avait vu, au loin, le majestueux *Titanic* se briser en deux comme un jouet d'enfant et disparaître sous l'eau à peine agitée par quelques vagues. Elle s'était frayé un chemin parmi les morts et les mourants, en tâchant de ne pas penser à cette horreur qui échappait à l'entendement et qui, pourtant, était beaucoup trop réelle. Penser, c'était mourir. Le mouvement constant était sa seule chance de survie. Mais les canots étaient tellement loin... de plus en plus loin. Pourquoi ne faisaient-ils pas demi-tour? Leurs occupants n'entendaient-ils pas les lamentations des pauvres malheureux restés dans l'eau?

Elle était tellement concentrée sur les canots qu'elle faillit rater l'objet de bois qui se trouvait tout près d'elle. Qu'est-ce que c'était? Pas un canot, en tout cas. Et il n'y avait pas de radeaux de sauvetage plats sur le *Titanic*, n'est-ce pas? Elle prit sa décision. Quel que soit l'objet en question, il flottait. C'était tout ce qui importait.

Sophie avait eu l'impression de nager avec force et énergie. Elle se rendait compte maintenant que ce n'était qu'une illusion. L'objet flottant n'était guère qu'à une douzaine de mètres d'elle, et pourtant il lui fallut un temps fou pour l'atteindre. Ses mouvements de brasse, qui lui avaient paru si efficaces, n'étaient en fait que les pitoyables moulinets d'une pauvre fille épuisée.

Elle était tout près de l'objet, assez pour le toucher. Enfin, elle sentit sous sa main une surface solide et agrippa le bois de ses doigts engourdis, tout en sachant qu'elle n'aurait peut-être pas la force de grimper. Et soudain, une silhouette se pencha vers elle.

Elle essaya de dire merci, mais elle fut la seule à entendre le son de sa voix.

Cependant, au lieu de l'aider à grimper, les mains qui se tendaient se refermèrent autour de sa gorge. Elle eut l'impression d'être prise dans un étau par une poigne de fer.

Elle savait déjà qui était son assaillant. Qui d'autre pourrait tenter de commettre un meurtre dans un moment pareil, au beau milieu de cette tragédie homérique?

Elle leva les yeux et distingua dans l'obscurité le regard fou de Jack l'Éventreur.

Elle retrouva la voix et poussa un cri perçant qui retentit dans la nuit.

L'étau se resserra encore plus, étouffant son cri. Elle

chercha de l'air, en vain. Sophie avait peut-être échappé à la noyade, mais elle allait périr quand même, entre les mains d'une bête féroce.

En se démenant de toutes ses forces pour tenter de se dégager, elle planta ses ongles dans les mains de l'homme. En vain. Il était beaucoup trop fort pour elle, dans l'état d'épuisement où elle se trouvait. Au bord de l'évanouissement, la jeune fille ne voyait plus les étoiles qu'à travers un épais brouillard.

Un lourd pot de verre s'abattit avec force sur Masterson et se brisa sur sa nuque. Sophie, inondée de bonbons et d'éclats de verre, sentit l'étau se desserrer sur sa gorge. Masterson tomba vers l'avant, inconscient, le visage au-dessus de l'eau.

Une autre silhouette se pencha sur Sophie.

— Alfie! souffla-t-elle.

Elle n'avait jamais été aussi contente de voir quelqu'un de toute sa vie.

— Ne dites rien, mademoiselle Sophie. Il faut économiser vos forces.

Il la prit sous les aisselles pour tenter de la hisser à bord de l'armoire flottante.

Sophie se rendit compte qu'il était presque aussi faible qu'elle. Si elle voulait avoir une chance de sortir de l'eau, elle allait devoir l'aider. Dans un effort surhumain, elle réussit à poser une jambe sur l'armoire. Elle se donna ensuite un élan et finit par se retrouver couchée sur le meuble. Elle était tellement exténuée, tellement gelée, qu'elle en avait presque oublié l'homme qui avait essayé de la tuer pour la seconde fois ce soir.

Elle se souleva péniblement sur un coude. Masterson était toujours inconscient, la tête plongée dans l'eau noire. Il était fort probablement mort noyé.

— Est-ce qu'il est...? commença-t-elle.

— Je pense que oui, répondit Alfie. Normalement, je ne me réjouis pas de voir des gens mourir, mais dans ce cas-ci, je suis prêt à faire une exception.

— Ôtez-le de là, Alfie, implora Sophie en frissonnant. Je suis incapable de le regarder. Juste à penser aux horribles choses qu'il a faites...

Alfie se pencha sur Masterson et entreprit de détacher son gilet de sauvetage.

— Quand j'étais petit, ma mère me parlait souvent de lui. Elle disait qu'elle ne dormirait jamais sur ses deux oreilles tant que ce monstre ne serait pas hors d'état de nuire pour toujours.

Il mit le gilet de côté et poussa le corps par-dessus bord. Il y eut une éclaboussure, et Jack l'Éventreur coula à pic.

— Dors bien, maman.

CHAPITRE QUATORZE

RMS *CARPATHIA*
LUNDI 15 AVRIL 1912, 2 H 45

Dans le local du télégraphe, il faisait un froid à peine tolérable.

En fait, il faisait froid partout à bord du *Carpathia*, et les passagers transis se demandaient ce qui se passait. Comme toute la puissance des chaudières servait à alimenter les moteurs et que le navire se dirigeait à toute vitesse vers le nord, la température avait baissé d'au moins 10 degrés dans les cabines.

– Toujours pas de nouvelles? demanda Drazen, inquiet.

L'opérateur Cottam, le casque d'écoute sur les oreilles, semblait de plus en plus préoccupé. Ils n'avaient rien reçu du *Titanic* depuis près d'une heure. Et puis, ce message : « Venez le plus vite possible, mon vieux. La salle des machines est remplie jusqu'aux chaudières. »

– Rien, répondit Cottam. Évidemment, si les chaudières sont inondées, il n'y a pas de vapeur pour les dynamos. Donc pas d'électricité. Donc pas de télégraphe.

Drazen hocha la tête, l'air sombre. C'était impossible.

— Est-ce qu'il y a d'autres navires qui s'en viennent?

— Oui, mais nous sommes les plus proches. Et nous ne serons pas là avant une heure, au moins.

Drazen était atterré. Il risquait fort de ne plus rester grand-chose du *Titanic* quand le *Carpathia* arriverait sur les lieux.

— Pendant combien de temps est-ce que les gens peuvent survivre dans l'eau?

— Dans *cette* eau-là?

À strictement parler, Cottam était un employé de la société Marconi, pas un marin. Mais il traversait l'Atlantique depuis assez longtemps pour savoir que la température de l'eau était mortellement froide sur la route du nord. Seuls le sel et le mouvement constant des vagues empêchaient l'océan de geler.

— Quelques minutes. Peut-être moins.

Le chef steward Harry Hughes apparut dans l'embrasure de la porte.

— Le capitaine Rostron veut voir le garçon.

— *Moi?* demanda Drazen, les yeux agrandis de surprise. Pourquoi?

— J'obéis aux ordres du capitaine sans discuter, répliqua Hughes. Surtout dans un moment comme celui-ci.

Il mena le fils du diplomate vers la timonerie.

Le capitaine et plusieurs officiers, réunis sur la passerelle, surveillaient l'océan à l'aide de jumelles. À leurs pieds, sur le pont avant, d'autres vigies scrutaient l'horizon.

– Capitaine, je vous ai amené le fils de l'ambassadeur.

– Merci, fit brièvement Rostron. Nous avons besoin de toutes les paires d'yeux que nous pouvons trouver.

Drazen ne comprenait toujours pas.

– Mais qu'est-ce qu'il faut chercher?

Le capitaine pointa le doigt vers la proue, à tribord.

– Ceci.

Une montagne apparut dans la nuit noire, illuminée par les feux de position du navire. Elle s'élevait à 60 mètres au-dessus de la surface, et le froid qui s'en dégageait était palpable, même dans la nuit glaciale.

Drazen n'avait jamais navigué, et il lui fallut un moment pour comprendre ce qu'était cette ombre immense.

– De la glace.

Rostron hocha la tête.

– Et plus on va vers le nord, plus on risque d'en voir. Tu veux bien nous aider?

Pour Drazen, le *Carpathia* avait toujours semblé énorme. Mais le garçon fut soudain terrifié à la pensée de ce qui se passerait si le navire frappait un monstre semblable à l'iceberg qui passait maintenant à côté d'eux. Il n'en resterait plus qu'un amas de débris, comme des décorations de Noël en mille miettes flottant sur le vaste océan.

– Oui, bien sûr, promit-il.

Au même moment, il distingua une faible lueur verte sur la silhouette massive de l'iceberg.

— Capitaine, je dois me tromper, mais...

— Je l'ai vue moi aussi, coupa le premier officier Dean. Une lueur verte, tout près de l'horizon.

— Une fusée! s'écria vivement Rostron. Concentrez-vous, messieurs. Nous n'arriverons peut-être pas trop tard, après tout!

La vue de la fusée provoqua une forte excitation parmi les occupants du canot B. L'espérance redonna un peu d'énergie aux 30 survivants, épuisés et ankylosés, qui se tournèrent tous ensemble vers la lumière verte. Le mouvement fit osciller la coque renversée, et ils furent aussitôt submergés par des vagues glacées. L'agitation fit place à la panique, ce qui déséquilibra encore plus l'embarcation déjà instable.

— Du calme! ordonna Lightoller.

— Mais la fusée! s'écria Paddy, d'une voix affaiblie, mais chargée d'espoir. Est-ce que ce sont les secours?

La simple mention de ce mot magique – « secours » – suscita de l'agitation, tous les passagers cherchant à mieux voir ce qui se passait.

— Le prochain qui bouge sera jeté par-dessus bord! aboya le deuxième officier. Non, ce ne sont pas des secours! Et vous ne les verrez pas arriver si vous nous faites dessaler!

Il attendit que la commotion se soit calmée et poursuivit d'une voix plus basse :

— Si nous flottons, c'est parce qu'il y a une poche d'air emprisonnée sous la coque du canot. À chaque mouvement du canot et de la mer qui l'entoure, la poche d'air rétrécit, et l'embarcation s'enfonce un peu plus dans l'eau. Je n'ai pas besoin de vous dire ce que ça signifie. Quand il n'y aura plus d'air, ce sera fini pour nous.

— Mais il y a un navire dans les environs! protesta une voix à l'arrière. On a tous vu la fusée!

— Elle était tout près, cette fusée, expliqua Lightoller. Elle vient d'un de nos propres canots.

Il y eut un soupir général – un soupir de déception, et même de découragement. Paddy eut l'impression de sentir la vie s'échapper du corps de tous ces malheureux. S'ils perdaient la volonté de se battre, ils étaient sûrement condamnés.

— Monsieur Lightoller, hasarda-t-il, est-ce qu'il y a encore de l'espoir?

— Il y a plusieurs navires qui ont répondu à notre CQD, répondit une voix.

C'était l'assistant opérateur Marconi, Harold Bride, étendu en travers sur le canot, difficilement visible derrière plusieurs autres hommes.

— C'est le *Carpathia* qui est le plus proche.

— Le *Carpathia*? demanda aussitôt Lightoller,

vivement intéressé. Dites-moi ce que vous en savez.

Jack Phillips, le supérieur de Bride dans le local du télégraphe, leva la tête. Ses cheveux en broussailles étaient couverts de cristaux de glace.

— C'est un cargo pas très rapide, monsieur. Il ne sera sûrement pas ici avant l'aube.

— L'aube! se désola un membre du personnel de cuisine. On sera tous au fond de la mer bien avant ça!

— C'est moi qui suis le plus haut gradé à bord de cette embarcation! gronda Lightoller. Alors, écoutez-moi bien! Personne n'a le droit de mourir sans ma permission! Votre seule tâche, c'est de maintenir notre poche d'air. Et pour ça, il faut garder le canot parfaitement en équilibre.

Sous le regard ébahi de Paddy, Lightoller ordonna à tous les survivants de former deux rangs sur la coque retournée, dans le sens de la longueur. Seul Bride, qui avait été sérieusement blessé et qui souffrait d'engelures graves, ne pouvait pas se lever. Il fut quand même installé en position stratégique, couché sur la quille du canot. Puis, Lightoller faisant office de maître d'équipage, ils poursuivirent leur périple dans la nuit en suivant les directives de ce marin d'expérience, qui savait lire la mer comme un grand livre ouvert.

— Penchez vers la gauche! Penchez vers la droite! Tenez-vous droits!

Paddy obéissait comme tous les autres, pris en sandwich entre les corps trempés, frissonnant de froid. Il n'arrivait pas à détourner son regard du deuxième officier. Charles Herbert Lightoller était inflexible, tyrannique, dur comme le roc.

Mais cette nuit, il était leur seul espoir de survie.

CHAPITRE QUINZE

LATITUDE 41° N, LONGITUDE 50° O
Lundi 15 avril 1912, 2 h 55

Alfie et Sophie, les mains en coupe, écopaient les recoins de leur armoire flottante.

— J'avais gardé le pot comme écope, s'excusa Alfie, mais j'ai préféré le casser sur la tête de Masterson.

— Je vais dire à Mère d'écrire une lettre de protestations à la White Star Line, plaisanta Sophie. C'est sa spécialité, les protestations.

— Alors, votre mère a réussi à embarquer dans un des canots? commenta Alfie. C'est bien.

Sophie fronça les sourcils. Malgré l'obscurité, la tristesse de son compagnon était bien visible sur son visage.

— Mais pas votre père.

Ce n'était pas une question.

— Il n'a même pas essayé, confirma Alfie, amer. Il est resté à son poste jusqu'à la fin. Pour ce que ça lui a donné.

— Ça l'a peut-être aidé de se dire qu'il faisait son devoir, murmura-t-elle pour tenter de le consoler. Mais je... Je ne sais pas ce qui est arrivé à Paddy. Il est tombé à l'eau en même temps que moi. Et je n'ai pas vu Julie.

– Mademoiselle Julie est dans un des canots, lui annonça Alfie. Mais je ne crois pas que son père ait survécu.

– Il y en a tellement qui n'ont pas survécu, fit Sophie en secouant la tête. Les voix de tous ces gens, dans l'eau...

Les deux amis se turent, conscients pour la première fois du silence environnant. Les voix s'étaient tues. Y avait-il des gens, parmi ces malheureux, qui avaient été recueillis par des canots? Peut-être quelques-uns. Les autres étaient silencieux parce qu'ils étaient morts.

– Oh, mon Dieu, Alfie! se lamenta Sophie. Comment est-ce qu'une chose pareille a pu se produire?

Ils se pelotonnèrent l'un contre l'autre, tant pour se réchauffer que pour se réconforter, en pensant aux centaines de gens qui venaient de mourir et en se demandant si leur tour viendrait bientôt. On leur avait dit qu'en ce merveilleux 20e siècle qui venait de commencer, il suffirait de lancer des appels de détresse par le télégraphe Marconi pour que des dizaines de navires accourent à la rescousse en cas de pépin. Il est vrai qu'on leur avait affirmé aussi que le *Titanic* était insubmersible, ce qui était assez loin de la vérité. Même s'il y avait des navires qui s'en venaient, combien de temps leur faudrait-il pour retrouver tous les survivants, éparpillés dans un océan aussi immense? Le temps qu'ils arrivent, tout le monde serait-il mort de froid et de soif?

– Vous avez les dents qui claquent, dit Alfie à Sophie.

– J'ai tellement froid!

Sophie se rendit compte brusquement que quelque chose n'allait pas. Alfie ne grelottait plus. Il ne portait pas de gants, et pourtant il n'avait même plus les mains enfoncées dans les poches de sa veste d'uniforme.

– Et vous, vous n'êtes pas gelé?

– Bien sûr que oui, répondit Alfie sans réfléchir.

– On ne dirait pas.

– Je... Eh bien, je... je... répondit-il, soudain étonné de ce qu'il ressentait vraiment. À bien y penser, ça n'est pas si mal. Peut-être que le temps se réchauffe.

– Oh, non! protesta Sophie, de plus en plus inquiète. Vous êtes trempé jusqu'aux os, et la température de l'air est bien en dessous du point de congélation!

– C'est probablement parce que je m'habitue, suggéra Alfie en étouffant un bâillement.

Pendant la dernière session, au collège pour jeunes filles, Sophie avait acquis quelques notions de soins infirmiers. C'est ainsi qu'elle avait appris quels effets pouvait avoir un froid intense sur le corps humain. C'est ce qu'on appelait l'hypothermie, qui se manifestait notamment par une impression de chaleur et de confort tout à fait injustifiée dans les circonstances. La somnolence était aussi un symptôme. Oui, bien sûr, ils étaient fatigués. Mais comment auraient-ils pu s'endormir alors qu'ils étaient trempés, gelés, et que la mort les guettait?

Alfie était en danger.

– Au secours! cria Sophie dans la nuit noire. Il y a quelqu'un? On a besoin d'aide!

– Je pense que personne ne peut vous entendre, fit remarquer doucement Alfie.

– Au secours!

Sophie avait vu sa mère s'imposer devant des milliers de personnes par la seule puissance de sa voix.

Si j'ai autant de voix qu'elle, c'est maintenant qu'il faut m'en servir!

Sophie Bronson se mit à appeler, à crier, à supplier et à hurler jusqu'à ce que les vagues elles-mêmes résonnent de ses lamentations. Alfie se contentait de la regarder, amusé, sans dire un mot. Maintenant, il fredonnait l'air de ragtime que l'orchestre avait joué pendant le chargement des canots. Sophie fit une courte pause et reprit ses appels.

– Ohé du canot! entendit-elle soudain distinctement.

Elle avait réussi! Quelqu'un arrivait!

– Par ici! lança-t-elle de toute la force de ses poumons, en scrutant l'obscurité.

Elle ne voyait pas l'embarcation, mais elle entendait les rames qui frappaient l'eau en désordre, manifestement maniées par des amateurs. Quelques secondes plus tard, une silhouette apparut, bloquant la lumière des étoiles juste au-dessus de l'horizon.

– Sophie? fit une voix. C'est bien toi?

– Julie! s'écria Sophie, submergée par l'émotion. Alfie

est avec moi! Il faut le réchauffer!

Elle distinguait maintenant l'embarcation. C'était un des canots du *Titanic*, très bas sur l'eau, dangereusement chargé. Elle aperçut Juliana, une petite fille endormie sur son épaule.

– On a tous froid, mademoiselle, dit le jeune marin qui était aux commandes.

– C'est l'aide steward Huggins, plaida Sophie. Il montre des signes d'hypothermie. Pouvez-vous nous prendre à bord?

– On n'a pas de place, mademoiselle. Mais on peut vous remorquer pour vous empêcher de dériver.

– Ça ne sera pas suffisant! protesta Sophie, alarmée. Il va mourir!

– Je vais bien, insista vaguement Alfie sans cesser de fredonner.

Juliana tendit le bébé à sa voisine, enleva son manteau et le lança vers l'armoire flottante.

– Prends ça. Au moins, il est sec.

Sophie attrapa le manteau avec gratitude et le posa sur les épaules d'Alfie.

– Regardez! lança soudain un des passagers du canot surpeuplé. Une étoile filante!

– Ou un éclair au loin, suggéra le jeune marin.

– Non, non! s'exclama Juliana, soudain excitée. C'est une lumière! Et elle se rapproche!

Tous les yeux se portèrent sur la lueur fantomatique.

– Si c'est vraiment un navire, dit le jeune marin

sceptique, la lumière devrait cesser de scintiller quand la pointe de son mât sera au-dessus de l'horizon.

Sophie surveillait, tremblante d'espoir. Alfie tentait de se concentrer pour percer l'obscurité de la nuit. Juliana, qui grelottait dans sa mince robe du soir, se mit à prier doucement, imitée bientôt par plusieurs autres personnes.

Après quelques minutes, qui semblèrent pourtant durer plus d'une heure, la lumière scintillante se transforma en un phare continu.

Les secours arrivaient.

CHAPITRE SEIZE

LATITUDE 41° N, LONGITUDE 50° O
LUNDI 15 AVRIL 1912, 3 H 25

– Le prochain qui se retourne sans ma permission s'en va à la flotte! rugit le deuxième officier Lightoller.

Depuis une heure, le canot retourné s'enfonçait lentement, centimètre par centimètre, à mesure que la précieuse poche d'air diminuait de volume. Les occupants avaient maintenant de l'eau jusqu'aux genoux, et la houle qui agitait la mer leur montait parfois jusqu'à la taille. Harold Bride ne pouvait plus rester couché sur le canot sans avoir la tête dans l'eau. Lightoller l'avait fait mettre debout, coincé entre deux gaillards solides.

– Mais, monsieur, protesta Paddy, vous avez vu les lumières! C'est les secours!

– Peut-être. Mais vous aurez beau regarder, le navire n'arrivera pas plus vite. Ne vous faites pas d'illusion : notre cauchemar n'est pas terminé, loin de là. Il faut penser au nombre de canots qu'il y a dans l'eau, au nombre de personnes à sauver. Nous devons survivre jusqu'à ce que notre tour arrive. Pour ça, il faut préserver notre poche d'air. Et maintenant, penchez à gauche!

Debout sur ses pieds engourdis par le froid, Paddy sentit l'espoir le quitter en entendant la mise en garde sévère du deuxième officier. Le cauchemar était loin d'être terminé? Lightoller était une brute, certes, mais personne ne pouvait douter de sa connaissance de la mer. Il avait tout à fait raison de dire qu'il faudrait du temps pour embarquer tous les survivants qui s'entassaient dans 20 canots éparpillés sur des kilomètres d'océan. S'ils étaient les derniers à être repérés, les secours risquaient de se faire attendre encore pendant des heures.

Il baissa les yeux et se rendit compte qu'il ne voyait plus ses bottes, complètement submergées. Leur embarcation de fortune ne resterait pas à flot encore des heures. Si les secours prenaient autant de temps que le prévoyait Lightoller, ils allaient tous se retrouver dans l'eau. Et Paddy avait vu assez de cadavres flotter à côté du canot retourné pour savoir exactement ce que cela voulait dire.

Au moins, comme ça, je n'aurai plus à écouter Lightoller, se dit-il.

Vraiment? S'il mourait aujourd'hui, il risquait fort de se retrouver aux portes du paradis en même temps que le deuxième officier. Et il était prêt à parier que celui-ci organiserait la file d'attente et menacerait de dénoncer les resquilleurs à Saint Pierre.

Peut-être que les secours vont arriver plus tôt qu'on le pense. Et puis, que le diable emporte Lightoller! Moi, je vais le regarder, ce navire!

Les lumières des deux mâts étaient visibles maintenant, l'une au-dessus de l'autre. Et leur mouvement était clairement perceptible. Le navire s'en venait, et il s'en venait vite!

C'est alors qu'il se produisit une chose étrange. Les lumières commencèrent à clignoter. Paddy cligna des yeux, sourcils froncés. Sa vision s'ajusta lentement, et il comprit bientôt la cause de cet effet étonnant. Ce n'étaient pas les lumières qui clignotaient. Il y avait quelque chose entre leur canot et le navire qui arrivait à la rescousse. Paddy distingua des silhouettes de têtes alignées près de la surface de l'eau.

— Je t'ai déjà dit de ne pas te retourner, jeune homme! gronda Lightoller.

— Des canots! s'écria Paddy, émerveillé. Il y en a toute une file! Regardez!

Lightoller scruta l'obscurité à son tour.

— Tu as vraiment de la chance, tu sais!

Le deuxième officier mit les mains en cornet autour de sa bouche et cria :

— Ohé du canot!

Mais après toute une nuit à hurler des ordres, sa voix n'était plus aussi tonitruante que d'habitude. Les 30 occupants du canot se mirent à crier en chœur à pleins poumons, mais même tous ensemble, ils ne réussissaient pas à se faire entendre sur l'eau. Lightoller, frustré, sortit en jurant un sifflet d'argent de sa poche et le porta à ses lèvres.

☆

Dans le canot 12, le bruit aigu du sifflet des officiers de quart était bien la dernière chose que le marin Frederick Clench s'attendait à entendre. Le *Titanic* ayant disparu depuis longtemps, il crut d'abord avoir rêvé. Peut-être était-ce un fantôme qui appelait de l'au-delà? Mais le bruit se répéta, et les passagers du canot l'entendirent eux aussi. Il y avait quelqu'un là-bas, qui criait au secours.

Était-ce le cinquième officier Lowe? C'est lui qui avait organisé la minuscule flottille formée par leurs quatre canots de sauvetage, en se disant qu'un navire qui passait repérerait plus facilement une masse relativement grosse. Lowe était ensuite parti de son côté, à la recherche de nageurs en difficulté. Sa mission avait-elle mal tourné? Le sauveteur avait-il besoin d'être sauvé lui-même?

Clench parcourut les alentours des yeux, dans la direction d'où venait le son, jusqu'à ce que son regard tombe sur la scène la plus étrange qu'il lui ait été donné de voir pendant toutes ses années en mer. Quelques dizaines d'hommes semblaient se tenir *debout* sur la surface de l'océan.

— Vous les voyez vous aussi? s'écria la dame assise à

côté de lui. Qu'est-ce qui les empêche de couler?

– Ils sont sûrement perchés sur un objet qui est en train de s'enfoncer, répondit Clench, qui avait l'esprit pratique.

Il s'éloigna du groupe des embarcations de sauvetage et se mit à ramer vers la grappe de survivants, accompagné du canot 4.

En s'approchant, il fut frappé de plein fouet par l'apparence désastreuse des malheureux survivants. Leurs visages hâves, marqués par la terreur et la souffrance, avaient déjà la pâleur de la mort. Plusieurs d'entre eux semblaient à peine conscients.

– Pas trop vite! lança le deuxième officier Lightoller. Nous sommes sur la coque d'un canot retourné, alors il ne faudrait pas grand-chose pour nous faire couler!

– Oui, monsieur.

Le marin manœuvra très délicatement pour aller se placer à côté du canot. Il fut accueilli par des remerciements tellement faibles qu'ils en étaient presque inaudibles. Clench se rendit compte que, s'il avait entendu le sifflet 10 minutes plus tard, ils n'auraient peut-être trouvé personne à secourir.

Malgré son état d'épuisement, Lightoller prit les commandes d'une opération extrêmement périlleuse. Chaque fois qu'un homme était transféré dans un des canots, ceux qui restaient devaient se déplacer pour répartir leur poids sur leur embarcation de fortune, qui s'enfonçait de plus en plus. Beaucoup n'avaient même plus la force d'enjamber le bord du canot et durent être soulevés par les autres.

À la surprise générale, un nageur accroché à la poupe se détacha du canot renversé et se dirigea vers le canot 4, à quelques brasses plus loin. Les transferts s'interrompirent tandis que tout le monde avait les yeux rivés sur le chef boulanger Charles Joughin, qui se hissa par-dessus bord pour aller s'effondrer au fond du canot.

– Seigneur Dieu! s'écria Lightoller, ébahi. Depuis combien de temps êtes-vous là?

– Depuis que le bateau a coulé, répondit le boulanger.

Il avait passé plus de deux heures et demie dans l'eau glacée, où des centaines de personnes avaient péri en quelques minutes. Comment avait-il réussi à survivre? C'était peut-être parce qu'il empestait le whisky.

Ce fut ensuite au tour de Paddy. Il monta dans le canot en refusant l'aide que lui offrait Lightoller. Malgré tout ce que le deuxième officier avait fait pour leur sauver la vie à tous, le jeune passager clandestin ne pouvait pas s'empêcher de croire que, si Lightoller lui tendait ainsi la main, c'était pour s'emparer de lui et le jeter dans la mer. C'était parfaitement irrationnel, mais pour Paddy, c'était une nette possibilité.

Le jeune Irlandais ne s'était pas assis depuis son séjour dans la prison du *Titanic*, il y avait de cela une éternité. Maintenant, après avoir été debout tellement longtemps, à se pencher vers la gauche, puis vers la droite, le siège qu'il occupait dans ce canot lui parut un luxe aussi extraordinaire que le trône du roi George lui-même.

C'est à ce moment-là, une fois installé dans un confort relatif – mais bien supérieur à ce qu'il avait connu depuis un bon bout de temps –, que Paddy remarqua pour la première fois les faibles lueurs qui éclairaient le ciel.

– C'est le matin! s'exclama-t-il. Je ne pensais pas survivre jusque-là!

– Vous aviez raison, Phillips, souligna Lightoller en aidant un autre homme à grimper dans le canot. Le navire que nous avons vu devrait être ici à peu près à la levée du jour.

L'opérateur Jack Phillips ne répondit pas à cette observation du deuxième officier du *Titanic*, qui était pourtant avare de compliments en temps normal. Il était mort de froid pendant la nuit – coincé, debout, parmi 30 compagnons d'infortune – sans que personne ne s'en aperçoive.

CHAPITRE DIX-SEPT

RMS *CARPATHIA*
Lundi 15 avril 1912, 3 h 50

Lancées du pont du *Carpathia*, les fusées s'élevaient dans le ciel et retombaient en une pluie d'étoiles brillantes, illuminant l'océan tout autour.

Drazen, accoudé au bastingage, gardait les yeux fixés sur l'horizon. Ils avaient vu beaucoup de glace dans leur course folle vers le nord, et il y en avait encore dans les environs. Mais il n'y avait pas trace du RMS *Titanic*. Drazen ne savait pas trop ce que cela pouvait vouloir dire, mais il était conscient de la nervosité qui commençait à percer dans la voix du capitaine Rostron et de ses officiers.

— Nous n'avons pas encore atteint les coordonnées, capitaine, dit le premier officier Dean.

— Le *Titanic* déplace 66 000 tonnes, fit remarquer le capitaine Rostron, l'air sombre. Nous devrions le voir maintenant... à condition qu'il y ait quelque chose à voir, bien sûr.

Drazen avait fait de son mieux pour rester tranquille et

discret. Il ne voulait surtout pas se faire expulser de la passerelle et rater le sauvetage qui s'annonçait. Mais les paroles de Rostron étaient trop inquiétantes. Il ne put s'empêcher d'intervenir.

— Mais, capitaine... Vous avez dit que la fusée verte que nous avons vue devait avoir été lancée du pont supérieur d'un navire.

— J'ai pu me tromper, mon garçon. La nuit était très claire. La fusée peut aussi avoir été lancée d'un canot de sauvetage.

Drazen se mordit la lèvre. Le *Titanic* n'avait tout de même pas pu disparaître! Plus de 2 000 personnes se trouvaient à bord!

Rostron coupa les moteurs, et le *Carpathia* continua sur sa lancée jusqu'à l'endroit où le *Titanic* avait indiqué sa position pour la dernière fois. Les officiers se regardèrent en silence. Ils étaient là. Le *Titanic* n'y était pas. Il n'y avait qu'une seule explication possible.

La fusée était tellement inattendue que tout le monde sursauta. Dans la lueur verte qui s'en dégageait, Drazen aperçut distinctement un petit canot droit devant, à environ 400 mètres.

— Capitaine...

— Nous l'avons tous vu, lui confirma le capitaine, en manœuvrant pour se placer près du canot.

Il lui fallut un certain temps pour y arriver, puisqu'il dut contourner un iceberg. Enfin, le *Carpathia* s'approcha de l'embarcation de bois.

– Arrêtez les moteurs! lança une voix d'en bas.

Drazen jeta un coup d'œil par-dessus la balustrade et aperçut des gens assis en rangs – des femmes et des enfants – en compagnie d'un seul marin. *Un canot de sauvetage!* constata-t-il, consterné. *Ça veut donc dire...*

– Le *Titanic* a sombré, avec tous ceux qui étaient encore à bord! annonça une femme en larmes.

L'équipage se hâta de faire descendre des câbles, et le quatrième officier Boxhall les fixa au canot 2 du *Titanic*. À cause de l'iceberg qu'avait dû contourner le *Carpathia*, le canot se trouvait à tribord, du côté opposé aux passerelles d'embarquement. Il restait donc un dernier obstacle entre les survivants, frigorifiés et épuisés, et la sécurité du navire : une ascension d'une douzaine de mètres sur une échelle de corde.

À 4 h 10, Mlle Elizabeth Allen atteignit le haut de l'échelle et fut hissée à bord du *Carpathia*.

La première survivante du *Titanic* venait d'être rescapée.

☆

Avec le lever du jour, les survivants exténués purent jeter un premier coup d'œil au navire de la Cunard qui était venu leur sauver la vie. À 8 600 tonnes de déplacement brut, le *Carpathia* semblait bien insignifiant à côté de la magnifique ville flottante à bord de laquelle ils avaient entrepris leur traversée, mais aucun navire n'avait jamais paru plus confortable à ces malheureux grelottant de froid.

Pendant que le soleil s'élevait au-dessus de l'horizon, les canots de sauvetage – tout ce qu'il restait du majestueux *Titanic* – convergeaient vers l'unique cheminée du petit navire. *Comme des abeilles qui rentrent à la ruche*, se dit Paddy. Le jeune garçon était debout près de la proue du canot 4, qui semblait se rapprocher du navire avec une lenteur désespérante. L'embarcation était tellement surchargée, et tellement basse sur l'océan, que chaque vague apportait un peu d'eau par-dessus le plat-bord. Ce n'était rien comparativement à ce qu'il avait enduré la nuit précédente, mais maintenant qu'il touchait au but, il se serait bien passé de ce dernier inconvénient.

Enfin, le canot 4 contourna la poupe du *Carpathia*. Il vint se ranger à côté du navire et fut arrimé aux haubans. Trois mètres devant, au pied d'une longue échelle de corde, un autre canot attendait déjà. Un étrange objet qui ressemblait à un meuble – une armoire, peut-être, ou une bibliothèque – flottait à côté du canot, attaché tant bien que mal avec de la corde. Les deux personnes qui se trouvaient dessus étaient trempées et à bout de forces. Mais quand la plus proche des deux se tourna vers lui, Paddy la reconnut aussitôt avec une joie immense.

– *Alfie! Alfie! C'est moi!*

Alfie sourit faiblement et agita la main.

La deuxième personne se retourna brusquement.

C'était Sophie.

– Paddy! Vous êtes vivant!

Paddy aperçut ensuite Juliana à bord du canot. La petite fille qu'il avait sauvée à l'entrepont était toujours dans ses bras.

– Paddy! Dieu soit loué! Je pensais qu'on était tous perdus! dit Juliana.

C'est incroyable qu'on ait réussi tous les quatre à survivre à une nuit comme celle-là! se dit Paddy, avec un élan de gratitude. *Lightoller m'a dit que j'avais de la chance. Il avait certainement raison à ce sujet-là.*

Pourtant, il n'arrivait pas à se défaire de l'impression que les deux jeunes filles essayaient de lui dire quelque chose. Quel que soit leur secret, Alfie ne semblait pas être au courant. C'était peut-être une histoire de filles...

Obéissant aux ordres lancés depuis le pont du navire, Sophie fut la première à gravir l'échelle de corde. Il paraissait insensé de demander une telle chose à une jeune fille qui venait de passer la nuit à lutter pour sa survie, dans des conditions que le capitaine du *Carpathia* pouvait à peine imaginer. Pourtant, elle monta avec une énergie et une détermination dont sa mère aurait été fière.

Ce fut ensuite au tour d'Alfie. Il fut évident dès le départ que le jeune steward était très faible et que le simple fait de se lever sur l'armoire instable lui demandait un effort surhumain. Enfin, il réussit à s'accrocher aux échelons de corde et à se hisser sur ses pieds.

En regardant son ami grimper, Paddy sut tout de suite

que la partie n'était pas gagnée. Et ce n'était pas seulement à cause de la faiblesse d'Alfie. Le jeune steward semblait vaguement absent, comme inconscient de ce qui l'entourait.

— Alfie, redescends! cria Sophie sur le pont. Ils vont t'envoyer une élingue!

Alfie ne semblait même pas avoir entendu. Il réussit à gravir encore trois échelons, jusqu'à six ou sept mètres dans les airs, quand la catastrophe se produisit. Paddy ne saurait jamais si l'échelle de corde avait bougé soudainement ou si son ami avait eu le vertige. Mais cela n'avait guère d'importance — le résultat était le même. Alfie avait lâché prise et il était tombé.

Sa tête et ses épaules allèrent frapper le bord de l'armoire de bois, et il dégringola dans la mer.

Paddy sauta par-dessus le plat-bord du canot 4 et se mit à nager vers lui. Cette fois, il remarqua à peine le froid, tant il était résolu à sauver son ami. Le gilet de sauvetage d'Alfie l'empêchait de couler à pic, mais Paddy — plus petit et plus léger — eut beaucoup de mal à faire remonter son ami sur l'armoire.

— Tu es mouillé, fit Alfie en jetant un regard vague à son sauveteur.

— Tu n'es pas tellement sec toi-même, fit remarquer Paddy, haletant.

Alfie parut interloqué par cette affirmation. Le marin qui s'occupait du canot 13 vint les rejoindre sur l'armoire et installa Alfie dans l'élingue. Le jeune steward s'éleva dans les airs, vers le pont du *Carpathia* et la fin de cet horrible cauchemar.

Alfie baissa les yeux en voyant Paddy s'éloigner et rapetisser de seconde en seconde.

Ce pauvre garçon est trempé, il grelotte, pensa-t-il avec sollicitude. *Il faut qu'il se sèche.*

Il se demanda un instant avec étonnement où on l'emmenait. Il ne pouvait pas s'en aller comme ça. Il avait des choses à faire, même s'il ne se rappelait pas exactement quoi. Il avait l'impression de monter dans les airs...

Enfin, il reconnut l'endroit où il se trouvait. Il accompagnait une passagère de première classe dans le grand escalier du *Titanic*.

— Comme c'est beau! dit-elle en admirant la magnifique verrière qui surmontait l'escalier.

Il se rendit compte avec joie que cette dame était sa mère.

En voyant son visage, il se souvint qu'il avait quelque chose d'urgent à lui dire.

— Maman, tu n'as plus besoin d'avoir peur de Jack l'Éventreur.

Papa les attendait sur le palier, vêtu comme un homme du monde avec son habit à basques et son nœud papillon blanc.

— Tout va bien, fiston. Tout va bien.

L'orchestre jouait avec entrain un air de ragtime. Alfie le connaissait, mais il n'arrivait pas à se rappeler où il l'avait déjà entendu...

☆

Brown, le commissaire de bord, se pencha au-dessus de la balustrade et fit pivoter l'élingue sur le pont du *Carpathia*.

Sophie se précipita.

– Alfie...

Elle sentit le cœur lui manquer. Alfie avait les yeux ouverts, mais il ne voyait rien.

Brown posa deux doigts sur la gorge du garçon, à la recherche d'un pouls. Après quelques secondes, il leva les yeux vers Sophie et secoua la tête tristement.

CHAPITRE DIX-HUIT

RMS *CARPATHIA*
LUNDI 15 AVRIL 1912, 9 H 35

Quand Drazen et son père s'étaient embarqués sur le *Carpathia*, à New York, le navire n'était qu'un moyen de transport comme les autres vers la Croatie. Aujourd'hui, le garçon reconnaissait à peine les lieux. Les salons avaient été transformés en hôpitaux de fortune, où des centaines de survivants du *Titanic* étaient traités pour des engelures et d'autres séquelles de la nuit qu'ils avaient passée dans le froid intense. Toutes les cabines et les autres pièces vacantes étaient remplies de petits lits, de matelas et même de coussins pour permettre à tous ces nouveaux passagers de dormir. Partout dans les couloirs, on croisait des gens en état de choc, le visage blême et barbouillé de larmes. Il était impossible de franchir une écoutille sans entendre une voix remplie de sanglots hystériques.

— Mais ça ne peut pas être le *dernier* canot! Mon mari n'est pas encore arrivé!

Même s'il y avait 706 rescapés, les retrouvailles

joyeuses étaient très peu nombreuses. Dans le naufrage du *Titanic,* plus de 1 500 personnes avaient péri – soit plus des deux tiers de celles qui avaient entrepris la traversée à bord du plus grand navire océanique au monde.

Les passagers du *Carpathia* avaient donné des vêtements aux naufragés, mais même ce simple geste de charité avait été plus compliqué que prévu. Comme tous ces gens se dirigeaient vers la chaleur de la Méditerranée, ils avaient surtout dans leurs bagages des vêtements légers, en lin ou en soie, et des chapeaux de paille. Les membres d'équipage avaient cédé leurs couvertures pour compenser ce manque de vêtements chauds.

Drazen avait entendu dire que certains des gens les plus riches du monde se trouvaient parmi les rescapés. Mais à ses yeux, ils ressemblaient tous à des mendiants, engoncés dans des habits mal ajustés ou enveloppés dans des couvertures.

Drazen donnait un coup de main à la cuisine en distribuant des tasses de soupe, de café, de thé et de chocolat chaud. Il n'était cependant pas doué pour ce genre de travail. Dans les couloirs bondés, il donnait des coups de coude et trébuchait, répandant ainsi des boissons chaudes un peu partout. Heureusement pour lui, les survivants le remarquaient à peine; ce n'était pour eux qu'un léger inconfort de plus.

La seule à se plaindre fut une jolie fille nommée Juliana – pas pour elle, mais pour l'enfant qu'il avait aspergée de chocolat chaud.

– Je suis vraiment catastrophé, s'excusa-t-il poliment.

L'espace d'une seconde, une fossette se creusa dans la joue de la jeune fille.

– Pas besoin d'être catastrophé, dit-elle en souriant malgré sa tristesse. Nous avons bien assez d'une catastrophe comme ça.

– Puis-je vous être utile de quelque façon? offrit Drazen.

– Pas vraiment, dit-elle en secouant la tête, découragée. À moins que vous réussissiez à trouver les parents de cette pauvre petite. Personne ne semble la connaître. J'ai bien peur que sa famille fasse partie des disparus.

Elle prit la petite fille dans ses bras et s'engagea dans l'escalier.

– Mademoiselle! s'écria Drazen. Je crois que les passagers de l'entrepont sont priés de rester sur ce pont-ci.

Juliana se tourna vers lui, le visage cramoisi.

– Je suis une passagère de *première* classe, vous savez!

Drazen n'en revenait pas. La jeune fille était enveloppée dans un volumineux manteau de drap qui avait vu de meilleurs jours. Elle avait les cheveux défaits – si on pouvait appeler cela des cheveux. De longues mèches blondes, sales et emmêlées, partaient dans tous les sens autour de ses traits fins. Mais, bien sûr, ce manque d'élégance ne voulait rien dire en ce moment, à bord du *Carpathia*. Et il aurait dû remarquer sa diction soignée...

– Je... Je suis désolé...

– Mon père est le 17ᵉ comte de Glamford! Du moins, il l'*était*... dit-elle, sa voix baissant soudain d'un ton. Et ça l'a bien servi, ce titre, quand le *Titanic* a sombré! La mer n'a pas eu pitié de lui plus que de mon ami Alfie, qui n'était qu'un simple steward!

Elle s'éloigna en courant, et il ne chercha pas à la retenir. Il se sentait parfaitement inutile. Au cours de ses 14 années d'existence, il n'avait jamais connu de difficultés comme celles que ces gens venaient d'endurer en quelques heures. Comment pouvait-on réconforter des gens dans de telles circonstances?

– *Sophi-i-i-i-e!*

Amelia Bronson traversa en courant le pont arrière pour embrasser sa fille qu'elle croyait avoir perdue pour toujours. Dès le moment où elle avait été secourue, la célèbre suffragette avait refusé toute assistance – même la nourriture et les boissons chaudes qu'on lui offrait – et avait passé son temps à arpenter les ponts du *Carpathia* à la recherche de sa fille. Les heures qui venaient de s'écouler avaient été les plus éprouvantes de sa vie.

Sophie lui sauta dans les bras, partagée entre le bonheur et l'incrédulité. Elle n'avait jamais vu sa mère pleurer, ni aux funérailles de ses parents, ni quand les policiers avaient arrêté et menotté son mentor, la légendaire militante Emmeline Pankhurst, ni même quand elle avait eu le nez cassé par un coup de matraque au cours d'un des rassemblements de son mouvement. Amelia Bronson ne pleurait *jamais*.

Et pourtant, elle sanglotait maintenant à chaudes larmes, comme une enfant qui aurait eu le cœur brisé.

— J'étais sûre que je t'avais perdue! Quand le navire a coulé, je pensais que tu étais encore à bord!

— Je l'étais, répondit Sophie en se recroquevillant dans la bâche imperméable qui lui servait de manteau. Mais je vous raconterai ça un autre jour. Calmez-vous, s'il vous plaît. Nous avons survécu toutes les deux, mais ce n'est pas le cas de tout le monde.

Deux grosses larmes coulèrent sur ses joues et elle ajouta :

— Alfie m'a sauvé la vie, mais il n'a pas pu sauver la sienne.

— Je suis vraiment désolée, dit Amelia. C'était un jeune homme bien. Et Paddy et Juliana?

— Ils sont en vie, répondit Sophie. Mais pas le comte.

— J'ai vu Mountjoy, indiqua sa mère. Il se rend utile à l'hôpital. Je te jure qu'ils pourraient se servir de lui comme anesthésiant! Je n'ai jamais vu quelqu'un d'aussi ennuyeux! Je n'ai pas vu ton pauvre infirme, par contre. Ce Masterson... Quel homme désagréable! Même si personne ne mérite de mourir pour ça.

Donc, sa mère n'avait pas cru non plus ce qu'elle avait dit au capitaine Smith sur la véritable identité de

Masterson, lorsque le *Titanic* était en train de couler. C'était compréhensible, bien sûr, compte tenu du chaos qui régnait à ce moment-là. Il avait fallu la plus grande catastrophe maritime de tous les temps pour que justice soit enfin rendue dans l'affaire de Jack l'Éventreur.

— Tu ne devineras jamais qui d'autre est à bord, ajouta Amelia, le visage assombri. Ismay, le directeur général de la White Star Line! Il n'avait pas prévu assez de place pour tout le monde dans ses canots de sauvetage, mais tu remarqueras qu'il en a trouvé une pour lui-même! Selon une rumeur, le *Titanic* aurait reçu des avertissements au sujet de la glace, mais il n'aurait pas ralenti pour autant. Les officiers l'ont avoué à mots couverts. C'est exactement le genre de chose qui se produit quand on confie à des hommes les décisions qui influencent nos vies!

— Mère, soupira Sophie, nous venons de vivre une terrible tragédie. Ce n'est pas le temps de faire de la politique, vous ne pensez pas?

Pour une fois, Amelia Bronson lui donna raison.

À la proue, du côté tribord, un deuxième navire arrivait à la rescousse. C'était le RMS *Californian*, qui allait s'occuper des opérations de recherche et de sauvetage pendant que le *Carpathia* amènerait à New York les survivants qu'il avait pris à son bord.

Sur les ponts du *Carpathia*, le nouveau venu fut accueilli par des acclamations. À bord, seules quelques personnes savaient que, la nuit dernière, le *Californian* était resté là sans intervenir, à une dizaine de milles à peine, pendant que tant de passagers et de membres d'équipage du *Titanic* connaissaient une fin tragique.

Le navire qui aurait pu sauver tout le monde était enfin arrivé – pour ramasser les morts.

CHAPITRE DIX-NEUF

BELFAST
Mardi 16 avril 1912, 18 h 10

La ville de Belfast comptait un lord-maire, un conseil municipal et de nombreux citoyens éminents. Pourtant, l'homme le plus puissant de la ville était incontestablement James Gilhooley. L'empire criminel de ce gangster notoire contrôlait les chantiers maritimes qui faisaient vivre toute la ville et les deux comtés environnants.

Gilhooley descendait la rue Victoria, suivi de deux gardes du corps. Dans le vacarme des trolleybus et des voitures tirées par des chevaux, les passants lui levaient respectueusement leur chapeau, et même le camelot qui lui vendit son journal du soir ne s'attendait pas à être payé.

En général, ce bandit se montrait amical avec le gamin et lui laissait un généreux pourboire. Mais ce soir-là, la manchette qui occupait toute la première page du journal lui coupa littéralement le souffle.

NAUFRAGE DU TITANIC
1 500 MORTS

Kevin était sur le *Titanic*! Son petit frère chéri! Comment pourrait-il expliquer à leur vieille mère qu'il avait permis qu'une chose pareille arrive à son bébé?

Soutenu par ses hommes, il se rendit au Donovan's Bar and Grill, l'ancienne taverne qui lui servait maintenant de quartier général. Là, assis au bar, il lut par trois fois l'article qui faisait la une du *Belfast Telegraph*.

Il n'y apprit pas grand-chose de plus que ce que disait la manchette. Quatre jours après son départ de Queenstown, le joyau de la White Star Line avait frappé un iceberg et coulé à pic, emportant de nombreuses vies avec lui. Le journal mentionnait des noms – des Américains immensément riches, et des aristocrates d'Angleterre et du reste de l'Europe. Les Astor, les Straus, les Guggenheim, le comte de Glamford. Tous morts. Il y avait 700 survivants, mais il s'agissait surtout de femmes et d'enfants.

Le barman lisait par-dessus l'épaule du criminel.

– On dit que près du tiers des gens ont été sauvés et qu'ils ont pu monter à bord d'un autre navire. Il faut garder espoir, patron. Kevin est débrouillard, et Seamus aussi.

– La dernière fois que j'ai entendu parler d'eux, ils étaient enfermés dans un cachot, se lamenta Gilhooley. Comment veux-tu qu'ils en soient sortis vivants alors que des gens comme les Astor n'ont même pas eu cette chance?

Sur un ton méprisant, il poursuivit :

— Insubmersible, qu'ils disaient! J'ai presque envie de me rendre chez Harland and Wolff et de brûler leur maudit chantier maritime jusqu'à la dernière poutre!

— Insubmersible? coupa une petite voix.

Un jeune garçon de 15 ans, pâle et maigre, passa la tête à la porte de l'entrepôt où il était en train de balayer le plancher. Il s'appelait Daniel Sullivan.

Daniel, l'ami que Paddy avait laissé derrière lui et dont il avait pleuré la mort.

Paddy croyait que les Gilhooley avaient tué Daniel, mais en un sens, le sort qu'ils lui avaient réservé était encore pire. Les criminels avaient gardé le garçon comme homme à tout faire et le traitaient presque en esclave.

— Vous avez dit « insubmersible », monsieur? répéta Daniel. Il y a des nouvelles du *Titanic*?

— Retourne au travail, espèce de petit rat de quai! répliqua le barman en lui faisant signe de disparaître.

— Ça suffit! s'écria James Gilhooley, abattu. La réalité est déjà assez cruelle comme ça. Tu sais lire, mon garçon?

Daniel aperçut la manchette du journal que le criminel brandissait.

— Paddy...

C'était à peine un murmure.

— Ouais. Ton ami est sûrement mort. Comme passager clandestin, il a sûrement eu moins de chances que mon frère de trouver une place dans un canot de sauvetage. Il était probablement moins bien considéré qu'un sac de pommes de terre de la cuisine, sur ce navire.

Daniel eut besoin de toute sa volonté pour ne pas se jeter de tout son long sur le plancher du bar, et hurler à grands coups de pieds sa douleur et son désespoir. Il menait sous la coupe de James Gilhooley une existence de misère, sans espoir d'un avenir meilleur. Sa seule consolation, c'était de savoir que Paddy était en route vers une vie nouvelle en Amérique. Et maintenant, ce rêve gisait – mort! – au fond de l'océan Atlantique.

Daniel regarda le visage des deux hommes qui se trouvaient devant lui, des hommes brutaux et colériques, qui trouvaient plaisir à le tourmenter. La pensée de la bonne fortune de Paddy était la seule chose qui l'avait soutenu jusque-là – la seule raison qui l'avait aidé à ouvrir les yeux le matin. Que restait-il à Daniel Sullivan, maintenant?

Pauvre Paddy. Pauvre, pauvre Paddy!

Paddy Burns avait eu deux grands amis dans sa vie. D'abord Daniel, tué par les Gilhooley à cause de lui. Et puis Alfie, qui venait de mourir sous ses yeux, à quelques mètres du pont du *Carpathia* où il aurait été en sécurité.

– J'aurais pu le sauver, dit Paddy, l'air sombre. J'aurais pu nager jusque-là et l'aider à monter dans l'échelle. Peut-être qu'il ne serait pas tombé.

— Paddy, ne dis pas de bêtises! s'écria Juliana en enfournant une cuillerée d'œuf à la coque dans la bouche de la petite fille qui la suivait maintenant partout. Alfie n'est pas mort parce qu'il est tombé. Il est tombé parce qu'il était mourant.

Les jeunes filles n'avaient pas cessé de le rassurer ainsi depuis que le *Carpathia* était sorti du champ de glace et faisait route vers l'Amérique. Encore un jour et demi, avait dit le capitaine Rostron, et tout serait terminé. Les survivants arriveraient au port de New York et pourraient commencer à recoller le mieux possible les morceaux de leur vie.

— Venez à Boston avec nous, Paddy, l'enjoignit Sophie. Vous ne connaissez personne à New York.

— Vous ne voudriez surtout pas être mon amie, répondit Paddy en secouant la tête. Tous mes amis meurent, je vous assure. Mme Rankin est à l'hôpital, sous sédation. Et Aidan et Curran n'ont pas trouvé de place dans les canots.

— Mais on est déjà vos amies, répliqua Sophie, au bord de la colère. Et, au cas où vous ne l'auriez pas remarqué, on n'est pas mortes. N'est-ce pas, Julie?

Juliana caressait les cheveux sombres de la fillette.

— Pensez-vous que je devrais demander au médecin du bord de l'examiner? Elle n'a pas encore dit un seul mot.

☆

Paddy n'avait pas assisté au service que le capitaine Rostron avait organisé la veille à la mémoire des disparus. De toute manière, le *Carpathia* tout entier était une chapelle funéraire flottante. Il avait déjà vu suffisamment de veuves éplorées et d'enfants en pleurs. Et les beaux discours d'un Anglais à épaulettes sur des morts qu'il n'avait jamais vus ne changeraient absolument rien à la situation.

Il se secoua. *Mon Dieu, Paddy, tu es en train de devenir un vieux grognon, et tu as juste 14 ans!* Pourtant, il ne trouvait pas une seule raison de *ne pas* se montrer grognon. Et Juliana qui se demandait pourquoi la fillette ne parlait pas! À deux ans, cette petite avait déjà vu plus d'horreurs que la plupart des gens n'en verraient au cours de leur vie.

À bien des égards, la catastrophe de la nuit dernière était en fait une bénédiction pour Paddy. Sur le *Titanic*, il avait été arrêté et mis au cachot comme passager clandestin. Aujourd'hui, après avoir survécu au naufrage le plus meurtrier de tous les temps, il n'était plus qu'un rescapé comme les autres. Il arriverait certes à New York sans billet et sans passeport, mais maintenant, il y aurait plus de 700 personnes dans la même situation. Même les vêtements disparates qu'on lui avait donnés ne différaient guère de ceux qu'il avait volés en montant à bord du *Titanic*, et ses chaussures représentaient une nette amélioration par rapport à ses anciennes bottes cloutées. En réalité, le naufrage était presque une aubaine pour lui.

Une aubaine qui avait coûté 1 500 vies humaines...

Il serait allé s'enfermer lui-même avec plaisir dans une autre cellule si cela avait pu ressusciter Alfie.

Après le *Titanic*, il étouffait sur le *Carpathia* surpeuplé. Il s'aventura jusqu'à la superstructure, à la recherche d'un peu d'espace vital, mais il y avait foule là aussi. Une file s'étirait le long de la balustrade, en travers du pont et jusqu'au local Marconi. Le capitaine avait décrété qu'aucun nouveau marconigramme ne serait transmis aux centaines de services de presse qui réclamaient des détails sur la catastrophe. À la place, les survivants avaient été autorisés à envoyer gratuitement des télégraphes à leurs parents et amis. Ils avaient été très nombreux à profiter de l'occasion, et Bride, l'opérateur du *Titanic*, avait été transporté de l'hôpital du bord jusqu'au local Marconi pour aider Cottam à s'acquitter de la tâche.

C'était un type bien, ce capitaine Rostron – même si Paddy ne l'avait pas beaucoup vu. Puisqu'il s'était embarqué clandestinement sur le *Titanic*, il ne savait pas exactement quel était son statut ici. Il ne voulait pas tenter le sort en attirant l'attention du commandant du *Carpathia*. Mais, en écoutant les conversations, il avait appris que Rostron était considéré comme un héros. Sans la course folle du *Carpathia* – en pleine nuit, parmi les icebergs –, il n'y aurait sans doute pas eu beaucoup de survivants.

Paddy s'apprêtait à passer son chemin discrètement

quand il aperçut du coin de l'œil une haute silhouette qui dépassait tout le monde d'une tête. Il risqua un deuxième coup d'œil. Ce nez de boxeur, ce visage couturé... Seamus! Et Kevin Gilhooley se tenait à côté de lui!

Alors que tant d'honnêtes gens avaient souffert et étaient morts dans cette catastrophe, le sort avait épargné ces deux meurtriers!

Gilhooley leva les yeux au même moment, et Paddy se rendit compte que l'assassin de Daniel l'avait repéré. Gilhooley dit quelque chose à Seamus. Paddy vit l'imposant garde du corps se diriger vers lui et fila sans demander son reste.

Il dégringola un escalier et se retrouva deux ponts plus bas, dans un des couloirs menant aux cabines de première classe. Du moins, ça devait être la première classe. On était bien loin de l'opulence que le *Titanic* avait offerte à ses passagers fortunés – mais l'avantage, évidemment, c'est que ces cabines-ci étaient toujours à flot.

Il déboucha sur un autre couloir et fonça dans une montagne de vêtements destinés aux rescapés. Des femmes de chambre faisaient un tri dans la pile, suspendant des robes, des chemises et des pantalons sur un long portemanteau à roulettes.

– Regarde où tu vas, jeune homme! lança sévèrement une des femmes. On manque déjà de vêtements propres!

Paddy revint sur ses pas à toute vitesse, en priant le ciel de lui donner le temps de sortir de là avant l'arrivée de Seamus. Il entendit des pas très lourds et vit les énormes bottes du bandit qui descendaient les marches. Il s'engouffra dans la seule porte qui se présentait et traversa le grand salon en courant. Des lits de camp étaient alignés dans la pièce, occupés chacun par un survivant couvert jusqu'au cou. Des membres du personnel de cuisine entraient et sortaient, les bras chargés de couvertures réchauffées au four.

Le médecin du *Carpathia*, le Dr McGee, s'avança devant Paddy.

— Je peux t'aider, mon garçon?

— Je suis venu voir Mme Rankin.

— Triste histoire, dit le médecin en hochant la tête, avec un mouvement du menton vers un petit lit dressé dans un coin.

Paddy fit mine de prendre cette direction, mais il tourna bientôt les talons et alla se glisser dans un coin dissimulé par un paravent, de l'autre côté du salon. Il y avait là neuf lits de camp, dont six étaient occupés. Mais les personnes couchées dans ces lits étaient complètement couvertes.

Alors, c'est ici qu'ils amènent les morts! pensa-t-il.

Comme Alfie et Jack Phillips, plusieurs personnes n'avaient survécu au naufrage que pour mourir d'hypothermie une fois à bord du navire qui les avait sauvés.

Paddy n'avait pas peur, puisqu'aucun mort ne lui avait jamais fait de mal. C'était plutôt des vivants qu'il fallait se méfier.

Il se figea en entendant la voix grave de Seamus de l'autre côté du paravent.

– Avez-vous vu un jeune garçon passer par ici il y a un instant?

Paddy repoussa le drap posé sur un des lits vides, prêt à y grimper pour rejoindre les rangs des cadavres.

– Oui, répondit le Dr McGee, mais je ne le vois plus. Il doit être parti.

Paddy n'en revenait pas. Voilà qu'ils étaient encore sur ses talons, même après tout ce qui venait de se passer. Oh, Seigneur! Pourquoi les avait-il fait sortir de leur cellule, ces deux-là? Il aurait dû se rappeler ce qu'on disait dans les rues de Belfast – que, si on causait des ennuis aux Gilhooley, on en subissait les conséquences tôt ou tard. Ces criminels allaient-ils le pourchasser jusqu'en Amérique?

Paddy avait l'impression d'avoir passé sa vie à fuir – d'abord son beau-père, puis les policiers de Belfast, ensuite les Gilhooley et puis l'équipage du *Titanic*. Il se retrouvait maintenant à bord d'un nouveau navire, à des milliers de kilomètres de l'Irlande, après que le *Titanic* eut disparu pour de bon, et ce jeu de cache-cache avec la mort se poursuivait toujours.

CHAPITRE VINGT

NEW YORK, QUAI 54
JEUDI 18 AVRIL 1912, 20 HEURES

Depuis le début du siècle, aucun événement n'avait été aussi attendu que l'arrivée du *Carpathia*. Sous une pluie battante, plus de 40 000 personnes avaient bravé le froid pour accueillir le navire de la Cunard, son capitaine – qui faisait figure de héros – et les survivants du *Titanic*.

Les journalistes étaient particulièrement impatients. Ils étaient au courant de la catastrophe depuis trois jours, mais ils n'en connaissaient pas les détails. La plupart des journaux avaient publié au moins une manchette inventée de toutes pièces, et complètement fausse : TOUS LES OCCUPANTS SAUVÉS APRÈS LA COLLISION DU *TITANIC*; LE *CARPATHIA* REMORQUE LE *TITANIC* JUSQU'À HALIFAX; LE *CARPATHIA* PRIS DANS LES GLACES AVEC LES SURVIVANTS DU *TITANIC*.

Les passagers et les membres d'équipage qui avaient échappé à la catastrophe apportaient donc avec eux la véritable histoire du naufrage.

L'apparition du navire, au loin, relança les spéculations et fit monter dans la foule un murmure d'excitation. L'unique cheminée du *Carpathia* était bien visible, entourée d'une flottille de bateaux plus petits. Dans la nuit illuminée par les éclairs de magnésium que jetaient les flashes des photographes, le navire progressait avec une lenteur désespérante.

La rumeur fébrile fit place aux protestations des spectateurs quand le navire continua tout droit devant le quai de la Cunard. Que se passait-il donc? Pourquoi le *Carpathia* ne s'arrêtait-il pas? Le capitaine Rostron amenait-il les survivants vers un quai privé, loin de la curiosité de la foule?

Les spectateurs ébahis virent le navire s'approcher du quai de la White Star. Il s'immobilisa, fit descendre les canots de sauvetage du *Titanic* et les laissa là, à flotter sur l'eau. Puis, il retourna au quai de la Cunard et se glissa sans effort à sa place.

Il y eut une ruée vers le débarcadère, dont l'entrée était bloquée par une rangée de policiers de New York. À l'intérieur, les familles attendaient que les passagers du *Titanic* mettent le pied en sol américain. La tension était insoutenable. Des listes des survivants avaient été publiées, mais elles étaient loin d'être complètes, ou même exactes. À l'intérieur du débarcadère du quai 54, bien des gens ignoraient si leurs proches étaient morts ou vivants. Pour eux, la prochaine heure pouvait donner lieu tout aussi bien à une explosion de joie qu'à une terrible déception.

Ils ne pouvaient qu'attendre. Et prier.

Pendant que l'équipage abaissait la passerelle de débarquement du *Carpathia*, le sentiment des rescapés variait entre le soulagement et la panique. Le capitaine Rostron avait décrété que les gens qui n'étaient pas attendus ne seraient pas autorisés à quitter le navire. Or, bon nombre de ceux qui avaient voyagé à l'entrepont à bord du *Titanic* étaient des immigrants qui ne connaissaient personne au Nouveau Monde. Ils étaient terrifiés par la perspective d'être amenés à Ellis Island, réputée pour ses enclos d'attente et ses conditions de vie très dures. Leur passeport et leurs papiers d'identité gisaient au fond de l'eau, à l'intérieur du *Titanic*, avec le reste de leurs maigres possessions. Ces pauvres gens ne pouvaient pas supporter l'idée de devoir retourner en Europe après les horreurs qu'ils venaient d'endurer.

— Dépêche-toi, Sophie, appela Amelia Bronson d'un ton urgent. Ton père nous attend certainement sur le quai. Je suis sûre qu'il est accouru dès la réception de notre marconigramme.

Il était d'ores et déjà décidé que Juliana descendrait avec les Bronson. Personne n'avait parlé de l'enfant dont elle s'occupait, mais il était entendu que Juliana n'avait pas l'intention de s'en séparer. La famille de la petite avait manifestement disparu, probablement avec les centaines de passagers de l'entrepont qui s'étaient égarés en tentant de monter sur le pont des embarcations du *Titanic*. Il était impossible de savoir s'ils avaient été pris au piège dans le labyrinthe des couloirs ou s'ils étaient arrivés en haut alors que tous les canots étaient déjà partis. Juliana pouvait seulement espérer que, quelque part dans une autre vie, les pauvres parents savaient que leur petite fille était vivante et en bonne santé, avec quelqu'un qui l'aimait.

– Je ne partirai pas sans Paddy, annonça Sophie avec une détermination que sa mère trouva étrangement familière. Je refuse de l'abandonner à son sort ici en attendant que quelqu'un se rappelle qu'il voyageait comme clandestin.

– Mais les stewards ont rassemblé tous les survivants du *Titanic*, protesta Juliana. Où peut-il être?

– Pour l'amour du ciel, Julie! C'est Paddy! Il était caché à bord avant même que le *Titanic* quitte le port, et personne ne s'en est rendu compte. Il peut être absolument *n'importe où!*

Pendant que le reste des passagers et des membres d'équipage du *Titanic* débarquaient pour rejoindre leurs proches – parmi les larmes et les embrassades, les bouquets de fleurs et les flashes de centaines d'appareils photo –, les Bronson et Juliana parcoururent le *Carpathia* à la recherche du jeune Irlandais. Mais Paddy était introuvable.

Le cœur lourd, les trois femmes durent finalement

s'avouer vaincues.

Tandis qu'elles s'engageaient sur la passerelle, une voix pressante se fit entendre derrière elles.

— Mademoiselle Juliana! Attendez!

Drazen Curcovic courut vers elles et tendit à Juliana une feuille de papier pliée en deux. C'était un feuillet de télégraphe sur lequel un message très court et très simple avait été écrit avec soin en grosses lettres moulées.

BON VENT – P

— Ça vient de Paddy? demanda Sophie. Notre ami!

En voyant le regard interrogateur du fils du diplomate, elle ajouta :

— Le jeune Irlandais!

— Où est-il? demanda Juliana.

Drazen haussa les épaules.

— Il m'a donné ça avant que nous accostions. Je vous ai cherchées longtemps.

— Mais est-ce qu'il est descendu du navire? demanda Sophie, frustrée.

— Ça, je n'en sais rien, avoua Drazen. Mais je ne l'ai pas vu.

Amelia prit la note des mains de sa fille et l'examina attentivement.

— C'est tout ce qu'on va recevoir de Paddy, j'en ai bien peur.

— Mais... « Bon vent »? reprit Sophie. Ça ne veut rien

dire!

— Ça veut dire que c'est tout ce qu'il veut nous dire, insista sa mère. On a beau vouloir aider tout le monde, il y a des gens qui préfèrent tout simplement s'organiser seuls. S'il nous dit adieu, c'est parce qu'il le veut bien – fidèle à lui-même comme pour tout le reste, d'ailleurs. C'est assez éloquent, en fait.

— Mais est-ce qu'il est descendu? s'informa Juliana.

— Je n'en ai aucune espèce d'idée, répondit aussitôt Amelia. En tout cas, quel que soit le chemin qu'il a pris, c'est celui qu'il a choisi. Je n'en attendais pas moins de lui.

— Madame, intervint le premier officier Dean. Votre mari vous attend, n'est-ce pas?

Mme Bronson se hérissa.

— Pourquoi supposez-vous que je suis incapable de me rendre chez moi sans un homme, simplement parce que je suis une femme?

— Je vous demande simplement d'avoir pitié de lui, sinon il pourrait croire que votre marconigramme a été envoyé par erreur.

— C'est très gentil à vous, coupa rapidement Sophie sans laisser à sa mère la chance de poursuivre la discussion.

Les retrouvailles avec Maxwell Bronson furent remplies d'émotion et d'affection. Pendant deux journées terribles – le temps que le télégramme lui parvienne –, le père de Sophie avait cru sa femme et sa fille disparues pour toujours. Et maintenant, il les tenait dans ses bras.

Des scènes semblables se déroulaient un peu partout dans le débarcadère du quai 54.

Juliana, sa petite protégée dans les bras, restait en retrait. Elle se sentait encore plus orpheline parmi tous ces gens. Le comte était loin d'avoir été le meilleur père au monde, mais il l'avait aimée à sa manière, et il lui manquait cruellement.

Un homme de haute taille au visage bronzé, vêtu d'un costume blanc immaculé, s'inclina devant Juliana, le chapeau à la main.

– Lady Juliana? Je vous ai reconnue grâce à la photographie que votre père nous a envoyée. Jed Hardcastle.

– Enchantée, murmura froidement Juliana.

Alors, c'était lui, le fameux M. Hardcastle, le magnat du pétrole texan qui avait offert un de ses fils – n'importe lequel – pour avoir le privilège de pénétrer dans le cercle intime d'une famille noble?

Juliana avait déjà décidé, bien avant la catastrophe, de s'opposer catégoriquement à ce mariage arrangé. Et maintenant que Père n'était plus là, il n'y avait personne pour tenter de la faire changer d'idée.

– Qui est cette enfant? demanda M. Hardcastle, les sourcils froncés.

– Ma sœur, répondit Juliana sans réfléchir.

En s'entendant répondre, elle sut aussitôt qu'elle prendrait les moyens pour que cela devienne réalité. La petite orpheline rescapée par Paddy serait sa sœur adoptive.

– Je ne savais pas qu'il y avait une petite sœur, fit le Texan, étonné.

– Moi non plus, du moins jusqu'ici, admit Juliana. J'ai le regret de vous annoncer, monsieur, que mon père, le comte, n'a pas survécu au naufrage.

– Mes condoléances, dit M. Hardcastle avec un bref hochement de tête. C'est bien ce que nous craignions. Mais dites-moi, est-il vrai que l'héritier du titre est un cousin éloigné?

– Oui, je crois...

Elle se rendit compte brusquement de ce que cela signifiait pour elle. Avec la mort de son père, le titre sortait de sa famille immédiate. Et M. Hardcastle jugeait maintenant qu'un mariage avec elle n'offrirait plus aucun avantage à ses fils. Ce nouveau riche, avec ses bottes à talon haut en peau de serpent et son ridicule chapeau gigantesque, la rejetait, elle!

– Merci de votre amabilité et de votre sympathie, dit Juliana en souriant gentiment, mais d'une voix froide, et dure comme de l'acier. Je vous souhaite bonne chance dans vos recherches pour trouver une autre fiancée titrée à marier à un de vos fils. Je vous rappelle cependant que, quand le *Titanic* a sombré, le destin a frappé tout le monde de la même manière, sans s'occuper des titres, du pouvoir ou de la richesse des gens. Il y a des disparus, au fond de l'océan, pour qui un puits de pétrole ne représentait que de la menue monnaie. Et maintenant, si vous voulez bien m'excuser, je dois m'occuper de ramener ma petite sœur en Angleterre.

Les Bronson firent cercle autour d'elle en fusillant Hardcastle du regard.

— Vous venez à Boston avec nous, bien sûr, décréta Amelia. Vous avez besoin de récupérer avant d'entreprendre une autre traversée.

— C'est très gentil à vous, répondit Juliana. Ruth et moi, nous acceptons avec plaisir.

Elle sourit. Ruth Alice Glamm... Ruth pour Rodney, son père. Et Alice pour Alfie.

— Rusz, répéta la petite fille.

C'était le premier mot qu'elle prononçait depuis le naufrage.

☆

Non loin de là, dans le coin réservé à la White Star le long du quai 54, les canots de sauvetage de l'infortuné *Titanic* se balançaient doucement sur l'eau, loin des regards. Personne ne vit la petite silhouette sombre sortir du canot 2, grimper sur un poteau de bois usé par les intempéries et traverser le quai avant de disparaître sous la pluie.

Paddy Burns venait d'arriver en Amérique.

CHAPITRE VINGT ET UN

À New York, ce n'étaient pas les bourses bien garnies qui manquaient – ni les occasions de s'en emparer.

Mais Paddy n'y touchait pas. Il y avait bien trop de travail dans cette ville.

Dans chaque usine, chaque boutique, chaque épicerie, on avait besoin de quelqu'un pour faire quelque chose – livrer des colis, mettre des aliments dans des sacs, balayer des cheveux coupés. Partout, dans les fenêtres, il y avait des annonces : NOUS EMBAUCHONS... EMPLOIS DISPONIBLES... S'ADRESSER ICI... COMMIS RECHERCHÉ...

Après la faim et le désespoir de Belfast, où Daniel et lui devaient voler pour survivre, c'était le paradis.

Bien sûr, sa vie ici n'avait rien de comparable avec le luxe extravagant qu'il avait connu à bord du *Titanic*. Il partageait un appartement miteux au-dessus d'une taverne, dans 7th Street East, avec plusieurs autres jeunes Irlandais et un nombre indéterminé de rats. Mais il avait le ventre plein, le jour, et un lit à lui, la nuit. Il avait même une clé – imaginez! Patrick Burns dans une vraie maison, avec une vraie porte et une vraie serrure!

De toute manière, le *Titanic* n'était sûrement plus très beau à voir, après avoir passé un mois au fond de l'océan. Ses luxueuses installations appartenaient désormais aux poissons. Et aux morts. Selon les journaux, un navire venu du Canada, le *Mackay-Bennett*, avait récupéré 330 corps sur le site du naufrage. Les autres – près de 1 200 personnes – partageaient à tout jamais la tombe marine du navire qui faisait jadis la fierté de la White Star Line.

Paddy n'était vraiment pas un rat de bibliothèque, mais il avait dévoré tous les reportages publiés sur le naufrage. Il avait appris par exemple que, pendant l'enquête du Sénat sur la catastrophe, le deuxième officier Lightoller s'était bien défendu d'avoir abandonné le *Titanic*. Il avait dit, mot pour mot : « Je n'ai pas quitté le navire, c'est lui qui m'a quitté. »

Paddy se rappelait le moment exact qu'avait évoqué Lightoller – lorsque la proue s'était enfoncée brusquement, en créant l'énorme vague qui les avait tous fait glisser du pont. Il avait plaint le pauvre sénateur américain qui avait cru pouvoir déstabiliser Charles Herbert Lightoller.

En définitive, la plus grande part du blâme était allée au capitaine Smith, qui n'avait pas tenu compte des avis de glace, et à la White Star Line, qui n'avait pas prévu suffisamment de canots de sauvetage. Bruce Ismay avait soutenu qu'aucune compagnie de navigation n'installait sur ses navires suffisamment de canots pour évacuer la totalité des passagers et des membres d'équipage. Une nouvelle loi avait déjà été proposée pour corriger cette situation : tous les navires devraient désormais prévoir des canots de sauvetage pour tout le monde, c'était aussi simple que cela.

Ça, ça va les aider beaucoup, les 1 517 personnes qui sont mortes cette nuit-là, s'était dit Paddy avec un frisson.

Il avait aussi lu dans les pages mondaines que lady Juliana Glamm, la fille du défunt comte de Glamford, s'était embarquée pour l'Angleterre avec une jeune orpheline qu'elle avait sauvée du naufrage. Elle avait devancé son départ parce que son hôtesse à Boston, la célèbre suffragette Amelia Bronson, était de nouveau en prison. Après son arrestation au cours d'un rassemblement à Portland, dans le Maine, sa fille Sophie était montée sur l'estrade et avait galvanisé la foule avec une telle passion et un tel talent qu'on la qualifiait maintenant de « nouveau visage des suffragettes américaines ».

Paddy avait souhaité bon vent à ses amies. Et elles l'avaient écouté, en prenant chacune leur direction. Il eut une pensée affectueuse pour Alfie, qui ne voyait rien de tout ça. Le garçon qui avait sauvé l'Amérique de Jack l'Éventreur, avait dit Sophie. Le monde ne saurait jamais qu'un véritable héros avait disparu en même temps que le jeune steward.

Mais Paddy avait très peu de temps pour s'attarder au

passé. Il était tout simplement trop occupé à épandre de la sciure sur le plancher d'une boucherie le matin, à nettoyer des stalles dans une écurie l'après-midi et à vendre des journaux dans la rue en soirée. À Belfast, personne n'arrivait à trouver du travail. À New York, le jeune Irlandais jonglait tous les jours avec trois ou quatre emplois. Et les seules poches pleines qui le préoccupaient étaient les siennes.

Paddy Burns osait enfin être heureux, du moins jusqu'à ce que les Gilhooley recommencent à le poursuivre.

Il aperçut d'abord Seamus, qui dépassait la foule d'une tête dans le parc de Washington Square. Ce nez fracturé, qui pointait vers les quatre coins du square en même temps, ne pouvait appartenir qu'à lui.

C'était sûrement une malheureuse coïncidence. Tout le monde avait le droit d'aller au parc le dimanche après-midi. C'est ce que se dit Paddy sur le moment.

Mais le lendemain, en arrivant à l'écurie, il trouva Seamus et Kevin Gilhooley en personne en train de poser des questions au propriétaire. C'en était fini de cet emploi-là... Heureusement qu'ici, à New York, le travail bien payé ne manquait pas.

Deux jours plus tard, il débarrassait les tables au Katz's Delicatessen quand il vit les deux hommes entrer. Cette fois, il ne pouvait pas se cacher. Il était debout en plein milieu du restaurant, dans son tablier blanc, alourdi par un énorme plateau de verres et d'assiettes sales.

— On a à te parler, mon garçon, annonça Gilhooley.

– Faut pas y compter, grogna Paddy.

Le plateau et tout son contenu volèrent dans les airs, en direction des criminels.

Autant dire qu'il démissionnait de chez Katz's. Il fila par la porte arrière sans demander son reste. Encore un emploi de perdu, grâce aux Gilhooley!

Sa vie à New York était soudain moins confortable. Tout recommençait comme à Belfast, où il n'avait pas cessé de fuir quelque chose ou quelqu'un.

Pendant cinq jours, pour essayer de se faire oublier, il n'alla pas travailler. Il ne sortit même pas de l'appartement au-dessus de la taverne. Il y avait des millions de personnes à New York. Les Gilhooley ne passeraient certainement pas leur vie à pourchasser un garçon qui les avait volés à l'autre bout du monde.

Mais il finit par manquer d'argent et, par conséquent, de nourriture. Il avait l'habitude d'avoir faim, mais il y avait quand même des limites.

Ses employeurs le reprirent sans lui poser de questions, tant la main-d'œuvre était rare dans ce Nouveau Monde.

Un soir qu'il rentrait à la maison après avoir vendu ses journaux, il aperçut une rutilante Ford Model T garée devant la taverne. Il fut instantanément sur ses gardes. Les automobiles étaient courantes à New York, mais dans ce quartier, on voyait surtout des voitures tirées par des chevaux ou des charrettes à bras.

Il reconnut trop tard l'homme à la forte carrure installé derrière le volant. C'était Seamus, accompagné de Kevin

Gilhooley sur la banquette arrière.

Il fila dans 7th Street, certain qu'un bruit de course allait bientôt résonner derrière lui. Il eut un choc en entendant plutôt un grondement de moteur qui se rapprochait rapidement. Il savait qu'il pouvait facilement semer les deux bandits à pied, mais cette automobile... Cela changeait tout. En quelques secondes, il sentit la vibration du moteur à quelques pas derrière lui.

Ils vont me passer dessus!

En proie à la panique, il s'enfonça dans une ruelle. Il se rendit compte aussitôt qu'il venait de signer son arrêt de mort. Il était dans un cul-de-sac, sur lequel ne donnait aucune porte. Il était bel et bien pris au piège.

La Model T s'engagea derrière lui, bloquant du même coup sa seule issue possible. Il n'y avait qu'un moyen de s'en sortir : passer par la voie des airs. Paddy s'élança vers la voiture, bondit sur le capot et faillit réussir à grimper sur le toit. Mais Seamus sortit son long bras par la fenêtre, lui attrapa la cheville et le fit redescendre brutalement sur les pavés. Les deux gangsters jaillirent du véhicule et s'avancèrent vers lui.

– Tu es un petit rat d'égout pas facile à attraper, décidément! lança Kevin Gilhooley en ricanant. Tu ne veux laisser personne te faire une faveur, hein?

– Une faveur? Quelle faveur? M'assassiner comme vous avez assassiné Daniel? protesta Paddy en ramassant une brique brisée, au bord dentelé. Je vais peut-être mourir aujourd'hui, mais je vais vous emmener en enfer avec moi, au moins un de vous deux. Vous pouvez compter là-dessus!

— Paddy, *non!*

Un garçon mince sortit de l'automobile et se mit à courir derrière Seamus.

Paddy se retourna et laissa tomber sa brique, paralysé par la surprise. Il était bouche bée, les yeux grands comme des soucoupes, incapable de faire la mise au point sur l'image qu'il avait devant lui.

Daniel Sullivan! En chair et en os...

— Mais tu es... tu es mort!

— Je vois que ton bain dans l'eau glacée de l'Atlantique ne t'a pas rendu plus intelligent, fit remarquer Daniel avec un grand sourire – et un petit tremblement dans la voix.

— C'est pour ça qu'on te cherchait, jeune blanc-bec! expliqua Kevin Gilhooley avec un sourire bienveillant. C'est ta récompense. Tu n'as sûrement pas oublié que tu nous as sauvé la vie à bord de ce fichu bateau anglais.

— En crochetant la serrure de notre cellule, alors qu'on avait essayé de te tuer, ajouta Seamus. Pour un gringalet comme toi, tu as vraiment le courage d'un lion!

Paddy s'avança en chancelant vers son meilleur ami et tendit la main pour lui toucher le bras. À sa grande surprise, Daniel ne disparut pas dans un petit nuage de fumée. Dans le chaos et l'horreur de la tragédie du *Titanic*, Paddy avait oublié à quel point il s'était senti seul depuis le jour terrible où il avait cru que Daniel avait été tué.

Depuis ce jour, il avait certes rencontré des gens très gentils. Il s'était même fait des amis. Mais Daniel, c'était sa famille.

Il y avait des choses qui n'avaient pas de prix et qu'il était impossible d'inscrire dans le manifeste d'un navire, fût-il le plus majestueux de tous les temps.

Ces dernières semaines, Paddy avait vu beaucoup de gens mourir autour de lui. Aujourd'hui, au moins, il y en avait un qui sortait de la tombe. C'était un cadeau du ciel.

Il cligna des yeux plusieurs fois.

Plutôt mourir que de laisser voir mes larmes!

— Je pensais vraiment que tu étais mort, murmura-t-il. J'ai vu...

— Tu étais mort toi aussi, dit doucement Daniel. Quand le *Titanic* a coulé, que voulais-tu que je pense?

— Vous êtes comme des chats, fit remarquer Kevin Gilhooley. À vous deux, il vous reste encore 16 vies à vivre. Et de l'argent, en plus.

Il sortit de sa poche une bourse bien remplie et la tendit à Paddy.

— De la part de mon frère, avec ses remerciements.

— Ça doit bien être la première fois que quelqu'un nous en donne une volontairement, blagua Daniel en donnant un coup de poing amical dans le bras de Paddy.

— Et on a deux emplois pour vous, si vous en voulez, ajouta Gilhooley.

Paddy secoua la tête.

— Cet argent-là, il va servir pour l'école, déclara-t-il

d'un ton ferme. Un jour, Daniel va être ingénieur. Il avait compris ce qui pourrait faire sombrer le *Titanic* bien avant que ça arrive.

— Et toi, Paddy? demanda Daniel. Qu'est-ce que tu comptes faire?

— Oh, ne t'inquiète pas pour moi! répondit Paddy avec son sourire moqueur d'autrefois. Je vais me débrouiller.

Paddy Burns était de la race des survivants.

GORDON KORMAN

a commencé à écrire quand il avait à peu près l'âge des héros de ses romans. Son premier livre *Deux farceurs au collège* a été publié alors qu'il n'avait que quatorze ans. Il a écrit cinq autres livres avant même de terminer ses études secondaires. Depuis, ses romans pour jeunes adultes se sont vendus à des millions d'exemplaires et ont fait le tour du monde. Il est l'auteur des collections *Sous la mer, Everest, Naufragés, Droit au but* et, plus récemment, de la collection comprenant *L'escroc, L'évasion* et *Piégé*. L'auteur, d'origine montréalaise, habite maintenant à New York avec sa famille.